SAUCEN, SALSAS UND SALATE

SAUCEN, SALSAS UND SALATE

Über 75 Rezepte für Saucen, Salsas, Ketchups, Dips
und pikante Beilagen aus aller Welt

SILVANA FRANCO

KÖNEMANN

THIS BOOK WAS DESIGNED AND PRODUCED BY
QUARTO PUBLISHING PLC
THE OLD BREWERY
6 BLUNDELL STREET
LONDON N7 9BH

ART DIRECTOR: MOIRA CLINCH
DESIGN: DESIGN REVOLUTION
SENIOR ART EDITOR: LIZ BROWN
COPY EDITOR: BEVERLEY LEBLANC
HOME ECONOMIST: CAROL TENNENT
PICTURE RESEARCHER: SUSANNAH JAYES
PICTURE MANAGER: GIULIA HETHERINGTON
SENIOR EDITOR: SIAN PARKHOUSE
EDITORIAL DIRECTOR: MARK DARTFORD
PHOTOGRAPHER: PHILIP WILKINS
ILLUSTRATORS: AMANDA GREEN & ANDREW MORRIS

ORIGINALTITEL: SAUCES & SALSAS COOKBOOK

© 1997 FÜR DIE DEUTSCHE AUSGABE
KÖNEMANN VERLAGSGESELLSCHAFT MBH
BONNER STR. 126, D-50968 KÖLN
REDAKTION DER DEUTSCHEN AUSGABE: DANIELA KUMOR, KÖLN
ÜBERSETZUNG AUS DEM ENGLISCHEN: ANGELIKA FEILHAUER, RAVENSBURG
SATZ DER DEUTSCHEN AUSGABE: THORSTEN LAURECK · WERBE-ATELIER, HÜRTH
DRUCK UND BINDUNG: SING CHEONG PRINTING CO., LTD.
PRINTED IN HONG KONG

ISBN 3-89508-425-5

INHALT

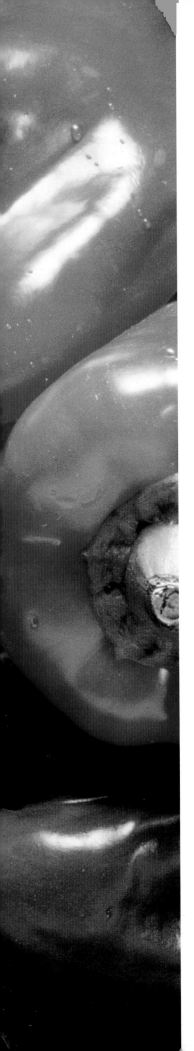

REZEPTE AUS ALLER WELT

DIESE REIZVOLLE REZEPTAUSWAHL IST IN SIEBEN KAPITEL UNTERTEILT, VON DENEN JEDES DIE KÜCHE EINES ANDEREN TEILS DER WELT VORSTELLT. ALLE REZEPTE SPIEGELN DAS WESEN DER JEWEILIGEN REGION WIDER UND BERÜCKSICHTIGEN GLEICHZEITIG DIE WELTWEITE VERSCHMELZUNG VON ZUBEREITUNGSMETHODEN UND ZUTATEN.

Jedes Kapitel enthält Anleitungen für die verschiedensten Saucen, Ketchups, Salsas und Salate, von denen einige auf traditionellen Rezepten basieren, während andere eine moderne Interpretation der Zubereitungsweisen und Aromen der jeweiligen Region zeigen. Alle Rezepte sind einfach nachzukochen. Die Herstellung einiger Ketchups erfordert zwar eine recht lange Garzeit, dafür ist die Vorbereitungszeit um so kürzer. Bei den Salsas beträgt die Garzeit (sofern notwendig) in der Regel weniger als 30 Minuten.

Die Zutaten für Ketchups, Saucen und Salsas können vielfältig variiert werden, denn es gibt keine festen Zubereitungsregeln. Wer also ein Rezept gut beherrscht, kann mit den Gewürzen und Zutaten experimentieren und die Aromen auf den eigenen Geschmack abstimmen.

Von Knoblauch über Thymian und Koriander bis zur Muskatnuß – die Aromen der Welt verleihen der Küche Vielfalt und Pfiff.

SALSA

Eine Salsa ist farbenfroh und aromareich, scharf und würzig oder kühl und erfrischend, eine Salsa ist schmackhaft – aber worum handelt es sich eigentlich dabei? Die Salsa stammt aus Mexiko, und der spanische Begriff bedeutet „Sauce". Nach mexikanischem Verständnis muß sie feurig, mit Tomaten zubereitet und mit reichlich frischen Chillies, Zwiebeln, Koriander, Knoblauch und Salz gewürzt sein. In anderen Teilen der Welt hat eine Salsa häufig den Charakter einer Beilage.

Wo immer sie zubereitet wird, eine Salsa enthält stets eine Mischung aus gehacktem, gewürfeltem oder geriebenem Obst und Gemüse sowie für die Region typischen Kräutern. Selten wird sie gegart. Sie kann saucenartig oder auch recht stückig sein, doch immer dient sie innerhalb einer Mahlzeit dazu, den Gaumen anzuregen oder zu erfrischen.

SALSAS SERVIEREN

EINE DER BELIEBTESTEN FORMEN DER SALSA IST ZWEIFELLOS DER DIP.
OB ALS VORSPEISE, TEIL EINER MAHLZEIT ODER SNACK GEREICHT, IN ZAHLREICHE SALSAS
KÖNNEN AUSGEZEICHNET LECKERE KLEINE HÄPPCHEN GETUNKT WERDEN –
HIER EINIGE VORSCHLÄGE.

TORTILLA-CHIPS

Tortilla-Chips sind in verschiedenen Geschmacksrichtungen erhältlich und die beste Beilage für alle Dips und Salsas auf Tomatenbasis wie etwa *salsa cruda* oder schnelle Tomatensalsa (siehe Seite 105 und 120).

CRUDITÉS

Knackige rohe Gemüse, etwa Blumenkohlröschen, Möhren- und Selleriestifte, eignen sich wunderbar, cremige Dips oder pikante Salsas aufzunehmen. Die Gemüse sollten möglichst erst kurz vor dem Essen vorbereitet werden, damit sie knackig bleiben.

GERÖSTETE GEMÜSE

Geröstete Gemüse schmecken herrlich, sind leicht zuzubereiten und passen ausgezeichnet zu scharfen oder würzigen Salsas. Man schneidet die Gemüse in Spalten oder keilförmige Stücke, wendet sie in etwas Öl und Salz und röstet sie im 200 °C heißen Backofen 45–60 Min. Gut geeignet sind frische Eiertomaten, Auberginen und alle Wurzelgemüse, insbesondere Pastinaken und Möhren.

KNUSPRIGE KARTOFFELSCHALEN

Zu cremigen Saucen oder Salsas auf Chili- oder Zwiebelbasis passen knusprige Kartoffelschalen ausgezeichnet. Sie sind ein guter Ersatz für Tortilla-Chips, die man zu der klassischen südamerikanischen *salsa con queso* reicht. Zur Herstellung von Kartoffelschalen zwei große Kartoffeln (jeweils mindestens 250 g schwer) etwa 1 Std. im Backofen garen, bis sie weich sind. Die Kartoffeln halbieren und mit einem Löffel so viel Fleisch entfernen, bis eine etwa 1 cm dicke Schale bleibt. Die Hälften in je sechs Keile schneiden und diese für 3–5 Min. in heißem Pflanzenöl fritieren, bis sie knusprig und goldbraun sind. Auf Küchenpapier abtropfen lassen und dünn mit Salz oder Paprika bestreuen. Heiß servieren.

KÄSESTANGEN

Käsestangen lassen sich rasch aus einem Paket Blätterteig (250 g) zubereiten. Die Arbeitsfläche dünn mit Mehl bestäuben und großzügig mit frisch geriebenem Parmesankäse bestreuen. Den Teig etwa 5 mm dick ausrollen und in Streifen von 1 cm Breite und etwa 14 cm Länge schneiden. Die Streifen flach lassen oder ein paarmal drehen. Anschließend mit etwas Milch bestreichen und 15 Min. im 200 °C heißen Ofen backen, bis sie knusprig und goldbraun sind. Das Gebäck entweder etwas abkühlen lassen und noch warm servieren oder in einem luftdichten Behälter aufbewahren, in dem es sich zwei bis drei Tage hält.

GEMÜSECHIPS

Auch Gemüsechips lassen sich sehr einfach zubereiten. Beispielsweise eine Kartoffel schälen und mit dem Gemüsehobel in dünne Scheiben schneiden. Diese in heißem Öl 3–4 Min. fritieren, bis sie an die Oberfläche steigen. Mit einem Schaumlöffel herausheben und auf Küchenpapier abtropfen lassen, bevor sie gesalzen und, falls gewünscht, mit etwas Chilipulver gewürzt werden. Gut geeignet ist auch anderes Wurzelgemüse wie Möhren, Pastinaken, Knollensellerie, Bataten und rote Bete – sie alle schmecken köstlich, wenn man sie in hauchdünne Scheiben hobelt und fritiert. Welches Gemüse auch verwendet wird, die Gemüsescheiben sollten portionsweise fritiert werden, da sie leicht verkleben. Dies gilt insbesondere für stärkehaltige Gemüsesorten, die vor dem Fritieren in kaltes Wasser gelegt und anschließend sorgfältig trockengetupft werden sollten.

In den Olivenhainen Andalusiens reifen langsam die fleischigen Früchte.

KETCHUPS AUFBEWAHREN

GEKOCHTER KETCHUP MIT EINEM HOHEN ESSIGANTEIL (ENGLISCHE SORTEN) KANN MINDESTENS SECHS MONATE AUFBEWAHRT WERDEN, SOFERN DIE GEFÄSSE ORDENTLICH STERILISIERT UND VERSCHLOSSEN WURDEN, UM EINE GÄRUNG ODER DIE ENTWICKLUNG VON GIFTSTOFFEN ZU VERHINDERN. BEI KETCHUP, DER LANGE GELAGERT WERDEN SOLL, TRIFFT MAN FOLGENDE SICHERHEITSVORKEHRUNGEN:

1 Den Backofen auf 110 °C vorheizen. Flaschen oder Gläser gründlich in warmem Wasser spülen. Mit klarem Wasser sorgfältig Geschirrspülmittelreste entfernen.

2 Auf den Boden eines großen Topfs ein Drahtgitter legen und die Flaschen oder Gläser darauf stellen, ohne daß sie sich gegenseitig berühren oder an den Topfrand stoßen.

Die richtige Lagerung läßt das intensive Aroma von Kräutern und Gewürzen nicht verlorengehen.

3 So viel sauberes kochendes Wasser in den Topf füllen, bis die Gefäße bedeckt sind. Das Wasser erneut zum Kochen bringen und 10 Min. sprudelnd kochen lassen.

4 Flaschen oder Gläser behutsam herausnehmen und zum Abtropfen umgekehrt auf ein sauberes Küchentuch stellen.

5 Flaschen oder Gläser in den Backofen stellen und vollkommen trocknen lassen. So lange im Ofen lassen, bis der Ketchup eingefüllt werden kann. Die Ofentemperatur darf 110 °C nicht übersteigen, weil das Glas sonst platzen könnte.

6 Den heißen Ketchup in die warmen, trockenen Gefäße schöpfen (bis 1 cm unter den Rand). Die Ränder mit einem sauberen, feuchten Tuch abwischen, dann die Flaschen oder Gläser sofort verschließen.

7 Den Ketchup an einem kühlen, trockenen und dunklen Ort lagern. Nach dem Öffnen im Kühlschrank aufbewahren.

*Eine hübsche Auswahl
an Gläsern voller
Köstlichkeiten.*

EINKOCHEN

Wenn die Gefäße ordnungsgemäß sterilisiert und gefüllt wurden, ist es nicht zwingend erforderlich, Ketchup einzukochen. Es ist eine weitere Sicherheitsmaßnahme, um die Haltbarkeit der Würzsauce zu gewährleisten. Durch das starke Erhitzen werden alle Mikroorganismen abgetötet und somit Fäulnis oder Gärung verhindert. Überdies werden die Gefäße hermetisch verschlossen. Mit einem Glasheber die Gefäße in einen großen Topf mit kochendem Wasser, auf dessen Boden sich ein Drahtgitter befindet, setzen. Das Wasser 30 Min. kochen lassen, gegebenenfalls kochendes Wasser nachfüllen, damit die Gefäße eingetaucht bleiben. Behutsam herausheben und für 12 Std. zum Abkühlen beiseite stellen. Twist-off-Gläser sind fest verschlossen, wenn sich der Deckel leicht nach innen wölbt. Werden Einmachgläser mit

11

Gummiringen verwendet, dürfen die Deckel nicht nachgeben, wenn man vorsichtig versucht, sie anzuheben.

KETCHUP

Der gewöhnlich kräftig gewürzte Ketchup hat stets eine glatte Konsistenz und ist als Würze bei Tisch beliebt. Es gibt unzählige Verfahren der Herstellung: von der traditionellen Methode, bei der Ketchup mit einem hohen Anteil an Essig zubereitet und in sterilisierte Gläser gefüllt wird, in denen er sich Monate hält, bis zu den frischen saucenartigen Ketchups wie die israelische *sabra*, die lediglich zwei bis drei Tage im Kühlschrank aufbewahrt werden kann.

Seit über 300 Jahren sind Ketchups eine beliebte Würzsauce.

Ketchup gibt es seit dem 17. Jahrhundert unter den Namen *koechiap*, *catchup* oder *catsup*;

der Begriff *ketchup* fand um 1710 offiziell Eingang in die englische Sprache. Der berühmteste Ketchup ist zweifellos der industriell hergestellte leuchtendrote Tomaten-Ketchup, den man bei Mahlzeiten überall auf der Welt findet. So einfach er auch sein mag, er verleiht faden Speisen Pep. Und wer würde einen Hamburger oder ein Schälchen Pommes frites ohne einen kräftigen Klecks Ketchup essen? Ketchups lassen sich problemlos selbst herstellen.

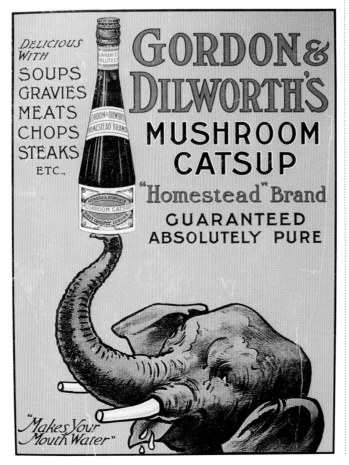

12

WAS VERBIRGT SICH HINTER DEN NAMEN?

DER BEGRIFF WÜRZSAUCE IST SEHR ALLGEMEIN.
DIE FOLGENDEN NAMEN BEZEICHNEN SPEZIELLE SORTEN.

ACAR ODER AJTAR

Obst oder Gemüse, das in Essig, Gewürzen und Chillies eingelegt oder mit ihnen aromatisiert wurde.

BLATJANG

Dicke, stückige Blatjangs kann man im südlichen Afrika und in Malaysia finden. Traditionell werden sie mit Garnelen oder Garnelenpaste aromatisiert.

CATSUP

Auch heute noch wird in manchen Gegenden dieser alte Name für Ketchup verwendet.

CHOWCHOW

Diese saure Sauce enthält gewöhnlich Essig und Gewürze und besteht eher aus Gemüse als aus Früchten.

KETCHUP

Die dicke, glatte Sauce aus Früchten oder Gemüse enthält gewöhnlich Essig, um ihre Haltbarkeit zu erhöhen.

RELISH

Ein Relish basiert, wie ein Chutney, auf Gemüse oder Früchten und enthält außerdem Essig und Gewürze.

SALSA

Übersetzt bedeutet Salsa Sauce, doch kann praktisch jede kleine Speise, die hauptsächlich aus – rohen oder gegarten – Früchten oder Gemüsen zubereitet ist, als Salsa bezeichnet werden.

SAMBAL

Die gewöhnlich glatte Paste ist häufig recht ölhaltig und würzig, immer jedoch scharf.

CHUTNEY

Das dickflüssige Chutney enthält Frucht- oder Gemüsestücke und oft ganze Gewürze. Es entstand vermutlich in Indien und ist eine beliebte Beilage zu pikanten Currys.

VORBEREITUNG

Zwiebeln bilden die Grundlage für viele köstliche Saucen.

TOMATEN ABZIEHEN

Zum Abziehen von Tomaten gibt es zwei Grundmethoden: Die erste geht schneller, die zweite ist dafür einfacher. Die beiden Methoden beeinflussen auf unterschiedlichste Weise Aroma und Konsistenz der Tomaten.

1) Offene Flamme: Die Tomate auf eine Gabel oder einen Spieß stecken. Einige Sekunden über eine offene Gasflamme oder unter den heißen Grill halten und drehen, bis die Haut Blasen wirft. Nach Abziehen der Haut bleibt das Fleisch fest. Diese Methode eignet sich auch gut für Chillies.

2) Heißes Wasser: Die Tomate auf der Oberseite kreuzweise einschneiden, in eine Schüssel legen und mit kochendem Wasser übergießen. Nach genau 1 Min. unter fließendem kaltem Wasser abkühlen, dann die Haut abziehen.

14

TOMATEN ENTKERNEN

Den grünen Stielansatz entfernen und die Tomaten senkrecht halbieren. Mit einem Teelöffel die Kerne herauskratzen.

ZWIEBELN ABZIEHEN

Die ganzen Zwiebeln genau 1 Min. in kochendes Wasser geben, dann unter kaltem Wasser abschrecken. Die Haut wird dadurch weicher und läßt sich erheblich leichter abziehen.

KNOBLAUCH ABZIEHEN

Sollen mehr als zwei oder drei Knoblauchzehen vorbereitet werden, die Zehen voneinander trennen und die papierähnliche äußere Schale entfernen. Die Zehen in eine kleine Schüssel geben, mit warmem Wasser bedecken und 1–2 Min. stehenlassen. Nach dem Abtropfen kann die Haut leichter abgezogen werden.

Der kräftige Knoblauch aromatisiert zahlreiche Ketchups und Salsas, seine Vorbereitung kann jedoch etwas Zeit erfordern.

Durch Rösten entfaltet sich die natürliche Süße der Paprikaschoten.

PAPRIKASCHOTEN GRILLEN

Paprikaschoten werden häufiger unter dem Grill als im Backofen geröstet. Die Paprika nicht halbieren oder vierteln, damit der während des Garens in der Schote sich sammelnde köstliche Saft nicht verlorengeht.

Die ganzen Schoten auf einem Backblech oder in einer Grillpfanne 8–10 Min. unter dem heißen Grill rösten und zwischendurch wenden, bis ihre Haut schwarz ist und Blasen wirft. Für 5 Min. mit einem sauberen Küchentuch abdecken oder in einen Plastikbeutel geben. Durch die Dampfeinwirkung läßt sich die Haut leichter abziehen. Ein Loch in den Schotenboden stechen, den Saft herausdrücken und für ein Dressing oder eine Marinade der Paprikaschoten aufbewahren. Die Haut abziehen, dann die Schoten halbieren und Stielansatz sowie Kerne entfernen.

CHILLIES ENTKERNEN

Mit einem kleinen scharfen Messer die Chilischoten längs halbieren, mit der Messerspitze Kerne und weiße Rippen herausschaben. Dies kann unter fließendem Wasser geschehen.

SCHNITTLAUCH SCHNEIDEN

Schnittlauch wird nicht wie andere Kräuter gehackt, sondern zu einem kleinen Bund zusammengenommen und mit einer scharfen Küchenschere in Röllchen geschnitten.

SAMEN UND NÜSSE RÖSTEN

Die meisten Nüsse und Samen sowie einige Gewürze, insbesondere Kreuzkümmel, erhalten ein noch intensiveres Aroma, wenn sie ohne Fett geröstet werden. Man rührt sie in einer beschichteten großen Pfanne 2–5 Min., bis sie goldbraun sind und duften.

Gehackte oder gehobelte Nüsse können einige Minuten unter den heißen Grill oder in den Backofen gelegt werden, bis sie goldbraun sind. Im Ofen erhalten sie eine gleichmäßigere Bräunung.

AVOCADOS ENTSTEINEN

Eine Avocado längs halbieren, dabei bis zum Stein schneiden. Die Frucht in beide Hände nehmen, die Hälften gegeneinanderdrehen und gleichzeitig auseinanderziehen. Die Hälfte mit dem Stein festhalten, ein spitzes Messer in den Stein stechen und den Stein mit dem Messer herausheben.

Feurige Chilischoten müssen – selbst wenn sie getrocknet sind – mit Vorsicht behandelt werden.

MAISKÖRNER ABLÖSEN

Maiskörner können, je nach Verwendungszweck, sowohl vor als auch nach dem Garen vom Kolben gelöst werden. Zum Grillen läßt man die Körner am Kolben, zum Kochen entfernt man sie.

Grüne Hüllblätter und Fäden abstreifen, den Stengel an der Basis abschneiden. Den Kolben aufrecht auf ein Brett setzen und ein scharfes Messer an der Spindel entlangführen. Die Körner lösen sich dabei leicht.

GEWÜRZE MAHLEN

Traditionell werden Gewürze im Mörser zerstoßen, der häufig aus Porzellan oder Marmor besteht. Der Boden des Mörsers und der Kopf des Stößels sind gewöhnlich unglasiert oder angerauht, um die Reibung zu erhöhen. Wer es eilig hat, kann natürlich auch ein elektrisches Gerät benutzen.

Ein Mörser ist für das Zerkleinern von Gewürzen unverzichtbar.

18

BROTSTANGEN

Die knusprigen italienischen Brotstangen, *grissini*, schmecken zu jeder Salsa und jedem Dip köstlich. Sie sind in unterschiedlichen Dicken und Geschmacksrichtungen erhältlich, können aber auch selbst hergestellt werden.

ERGIBT 30 STÜCK

200 g Mehl sowie Mehl	*120 ml warmes*
zum Ausrollen	*Wasser*
1 TL Salz	*2 EL Olivenöl*
7 g Trockenhefe	

❶ Den Backofen auf 230 °C vorheizen. Mehl und Salz in eine Schüssel sieben. Die Hefe hineinrühren und in der Mitte eine Mulde formen.

❷ Wasser und Olivenöl in die Mulde gießen und einen festen Teig herstellen. 5 Min. kneten, bis er glatt ist.

❸ Den Teig mit etwas Öl bestreichen, mit einem sauberen Tuch abdecken und 40 Min. an einem warmen Ort gehen lassen.

❹ Den Teig noch einmal kurz durchkneten, dann auf der bemehlten Arbeitsfläche zu einem Rechteck von etwa 14 cm Breite und 0,5 cm Dicke ausrollen. Quer in 30 dünne Streifen schneiden.

❺ Jeden Streifen zu einer langen, dünnen Wurst von etwa 25 cm Länge rollen. Auf ein Backblech legen und für circa 15 Min. in den Backofen schieben, bis die Stangen knusprig und goldbraun sind. Abkühlen lassen. In einem luftdicht verschlossenen Behälter aufbewahren.

Reiche Ernte: Sonnengereifte Tomaten bilden eine perfekte Grundlage für viele Saucen und Salsas.

EUROPA

IN EUROPA UND INSBESONDERE *in England* findet sich die größte Auswahl an traditionellen Ketchups, von denen einige auf hundert Jahre alten Rezepten basieren. Im allgemeinen handelt es sich um unkomplizierte Mischungen aus nur zwei oder drei Zutaten, die mit Gewürzen und Essig geköchelt werden und sich bei richtiger Lagerung viele Monate halten.

Bei den Salsas und Salaten, die frisch zubereitet serviert werden, dominieren die Aromen des Mittelmeeres. Aus griechischen Kalamata-Oliven, Feta-Käse, italienischen Eiertomaten, frischem Oregano, Olivenöl, französischem Senf und Knoblauch entstehen frische sommerliche Beilagen.

BESONDERE ZUTATEN

*Das farbenfrohe
Gemüseangebot auf
einem Markt in
Venedig.*

BALSAMESSIG

*Der echte Balsamessig (*aceto balsamico*) wird
nur in der norditalienischen Region um Modena
hergestellt. Er reift 10 bis 20 Jahre in Eichenfäs-
sern zu einem dunklen sirupartigen Essig heran
und ist so mild, daß man ihn als Würze bei Tisch
verwenden kann. Er ist recht teuer, doch bereits
ein kleiner Spritzer belebt Tomatensaucen,
gegrillten Fisch und Gemüse und verleiht jedem
herkömmlichen Ketchup eine neue Note.*

OLIVEN

*Alle im Handel erhältlichen Oliven sind in Öl,
Wasser, Salzlake oder Salz eingelegt, da frisch
gepflückte Früchte einen bitteren Geschmack
haben. Grüne Oliven werden geerntet, bevor sie
reif sind, und schmecken am besten zu Cocktails.
Für diesen Verwendungszweck sind sie mit aller-
lei Köstlichkeiten wie Pimiento, Knoblauch oder
Mandeln gefüllt. Zum Kochen eignen sich
schwarze Oliven besser. Man nimmt sie gern für
Pizzas und Pasta-Saucen wie auch für Salate
und Salsas. Griechische, französische und*

italienische Oliven sind gleichermaßen beliebt, doch welche man auch wählt, lose Oliven sind stets qualitativ besser als abgepackte. Sie werden im Kühlschrank aufbewahrt und sollten innerhalb von drei Tagen verzehrt werden.

Oregano

Oregano ist ein naher Verwandter des Majoran, hat aber einen kräftigeren Geschmack und ist nach Meinung mancher Köche getrocknet am besten. Neben Basilikum gilt Oregano als das typischste Kraut der italienischen Küche und wird für klassische Tomatensauce, Pasta oder Pizza verwendet.

Senf

Meist wird der heute erhältliche Senf aus braunen Senfkörnern hergestellt und nicht mehr aus den erheblich schärferen schwarzen Senfkörnern, die früher sehr beliebt waren. Oft werden die Samen nur teilweise gemahlen und zu mildem, körnigem Senf verarbeitet. Es gibt viele Senf-Spezialitäten wie Dijon-Senf oder Estragonsenf. Sie werden zu Fleisch gereicht, können aber auch in einfache Vinaigrettes, Mayonnaise und Weichkäse gerührt werden, um leckere Dressings herzustellen.

Tomaten

Das große Angebot an Tomatensorten macht es schwierig, die richtige Wahl zu treffen. Leider wird bei vielen Tomaten mehr Wert auf das Aussehen als auf den Geschmack gelegt, so daß sie daher oft wäßrig und fade sind. Nach Möglichkeit sollte man reife italienische Eiertomaten oder die weit kleineren Kirschtomaten kaufen. Meiden sollte man dagegen große Gewächshaustomaten, die perfekt und appetitlich aussehen, geschmacklich aber meist enttäuschen. Gelbe Tomaten sehen nicht nur hübsch aus, sondern haben auch ein ausgezeichnetes Aroma.

Ein Stand mit wundervoll duftenden Gewürzen.

GETROCKNETE TOMATEN MIT KNOBLAUCH

Dies ist das zeitaufwendigste Rezept des gesamten Buchs, da die Tomaten vor der eigentlichen Zubereitung getrocknet werden müssen (siehe rechts). Am besten trocknet man gleich eine größere Menge und legt sie bis zum Gebrauch in gutes Olivenöl, das man jedoch nicht mit Kräutern aromatisieren sollte, da diese vom reinen Geschmack der Tomaten ablenken. Durch das Trocknen entwickeln alle Tomatensorten ihre volle Süße, und sie können den Geschmack vieler Speisen heben, wie Salsas, Salate oder Risottos – zum Beispiel frische Pizza mit Mozzarella, getrockneten Tomaten und Basilikum.

Diese nach Sonne schmeckende italienische Beilage paßt zu einer Schale schwarzer Oliven, einem Stück Gorgonzola und etwas warmem Knoblauchbrot – als rustikale Vorspeise oder Mittagessen im Freien.

FÜR 2 PERSONEN

12 getrocknete Tomaten- hälften, grobgehackt	*¹/₂ Bund zerzupfte Basilikumblätter*
2 rote Schalotten, feingehackt	*3 EL Olivenöl*
2 Knoblauchzehen, feingehackt	*2 EL Balsamessig* *Salz*

Alle Zutaten in einer Schüssel vermischen und nach Geschmack salzen. Innerhalb von 2 Std. servieren, am besten mit Zimmertemperatur.

TOMATEN TROCKNEN

Da die Tomaten im Backofen nur getrocknet und nicht gegart werden sollen, muß man sie ständig beobachten und gelegentlich wenden. Fertige Tomaten nimmt man vor den anderen heraus. Sie sollten schrumpelig, aber noch weich sein und nicht zu papierartig. Abhängig von Tomatengröße und Backofen kann das Trocknen zwischen 6 und 10 Stunden dauern.

Man trocknet möglichst viele Tomaten auf einmal – etwa 20 Stück. Möchte man die getrockneten Tomaten aufbewahren, schichtet man sie in sterilisierte Gläser, bedeckt sie mit Olivenöl und verschließt die Gläser. Sie halten sich bis zu 6 Monate.

ZUTATEN

Tomaten	*kaltgepreßtes Olivenöl*
grobes Meersalz	

❶ Den Backofen auf niedrigster Stufe vorheizen. Die Tomaten gut waschen und halbieren. Die Kerne mit einem Löffel entfernen und wegwerfen.

❷ Die Tomatenhälften zum Abtropfen mit der Schnittfläche nach unten 10–15 Min. auf Küchenpapier setzen.

❸ Die Tomaten innen dünn mit Salz bestreuen und dicht, aber ohne daß sie sich berühren, mit den Schnittflächen nach unten auf zwei Roste setzen. In den Backofen schieben.

❹ Falls möglich, die Backofentür nicht ganz schließen, sondern mit einem Holzlöffel einen Spalt geöffnet halten.

Getrocknete Tomaten
mit Knoblauch

RHABARBER-KETCHUP

Dieser Ketchup entfaltet seine Aromen, wenn er mindestens einen Monat an einem kühlen, dunklen Ort gelagert wurde.

ERGIBT 1,75 L

1 kg frischer Rhabarber	*800 g hellbrauner Zucker*
175 ml frisch gepreßter	*1 TL Salz*
Orangensaft	*1 TL Pimentkörner*
2 große Zwiebeln,	*1 TL schwarze oder braune*
grobgehackt	*Senfkörner*
1 l Rotweinessig	*1 TL schwarze Pfefferkörner*

❶ Den Rhabarber sorgfältig waschen und in gut 2 cm lange Stücke schneiden. Mit Orangensaft, Zwiebeln, Essig, Zucker, Salz und Gewürzen in einen großen Topf geben.

❷ Den Topfinhalt langsam erhitzen und rühren, bis sich der Zucker aufgelöst hat. Den Deckel auflegen und die Zutaten bei minimaler Hitze $1^1/_2$ Std. köcheln lassen, bis die Mischung musig ist, zwischendurch gelegentlich umrühren.

❸ Die Mischung durch ein feines Kunststoffsieb streichen. Sofort in heiße, sterilisierte Flaschen füllen und verschließen.

ENGLISCHER APFEL-KETCHUP

Für diesen Ketchup verwendet man am besten kleine, aromatische Äpfel wie Cox Orange, Braeburn oder Royal Gala.

ERGIBT 1,25 L

2 kg Äpfel, nach Entfernen
  des Kerngehäuses grob-
  gehackt
1 große Zwiebel, grobgehackt
1 EL Salz

1 TL ganze Nelken
1 Zimtstange
600 ml Branntweinessig
200 g Zucker

❶ Äpfel, Zwiebel, Salz, Nelken, Zimt und Essig in einen großen Topf geben. Zum Kochen bringen, dann den Deckel auflegen und die Zutaten 1½ Std. unter gelegentlichem Rühren köcheln lassen, bis sie musig sind.

❷ Durch ein feines Kunststoffsieb streichen und wieder in den Topf geben. Bei schwacher Hitze den Zucker hinzufügen und rühren, bis er sich aufgelöst hat. Den Ketchup zum Kochen bringen und 5 Min. kräftig kochen lassen. Sofort in heiße sterilisierte Gläser füllen und verschließen.

SPANISCHE ZWIEBEL-SALSA

Falls die großen, milden Gemüsezwiebeln nicht erhältlich sind, kann eine Gemüsezwiebel durch zwei übliche Zwiebeln ersetzt werden.

FÜR 6 PERSONEN

25 g Butter
2 EL Olivenöl
4 große Gemüsezwiebeln, in
  dicke Scheiben geschnitten
2 EL Kapern
2 EL Rotweinessig

4 Sardellen in Öl,
  grobgehackt
2 EL gehackte frische
  Petersilie
Salz und Pfeffer

❶ Butter und Öl in einem großen Topf erhitzen und die Zwiebeln hinzufügen. Sehr sanft 20–30 Min. garen, bis sie weich und goldbraun sind.

❷ Zwiebeln in eine Servierschüssel geben und Kapern, Essig, Sardellen und Petersilie unterheben.

❸ Mit Salz und Pfeffer abschmecken. Heiß oder handwarm servieren. Nicht in den Kühlschrank stellen.

GRÜNE BOHNEN IN SENFSAUCE

Diese Beilage wird einen Tag im voraus zubereitet und bis zum Verzehr im Kühlschrank aufbewahrt.

FÜR 4 PERSONEN

250 g junge grüne Bohnen, geputzt
125 g abgezogene Mandeln
2 EL Walnußöl

1 EL Weißweinessig
1 EL körniger Senf
Salz

❶ Die Bohnen in 2 cm lange Stücke schneiden und in kochendem Salzwasser 3–5 Min. garen, bis sie gerade weich sind. In einem Durchschlag abtropfen lassen, dann unter fließendem kaltem Wasser abschrecken. Zum Abtropfen auf Küchenpapier legen.

❷ Die Mandeln in einem heißen Wok oder einer Pfanne einige Minuten unter Rühren rösten, bis sie goldbraun sind. Mit den Bohnen in eine Schüssel geben.

❸ Öl, Essig, Senf und etwas Salz verschlagen und mit den Bohnen und Mandeln vermischen. In einer Servierschüssel anrichten und abkühlen lassen, dann abdecken und bis zum Verzehr kalt stellen.

KNOBLAUCH-SALSA

Das langsame Rösten mildert die Schärfe des Knoblauchs und verleiht ihm eine zarte Süße. Diese Salsa serviert man mit getoastetem Bauernbrot und einem einfachen Tomatensalat als raffinierte Vorspeise.

FÜR 4 PERSONEN

4 ganze Knoblauchknollen
2 Rosmarinzweige
6 EL Olivenöl
grobes Meersalz

2 EL gehackter frischer Salbei
2 EL gehackte frische glatte Petersilie

❶ Den Backofen auf 170 °C vorheizen. Knoblauchknollen und Rosmarinzweige in einen Bräter geben und mit 4 EL Öl und 4 EL Wasser beträufeln.

❷ Mit ein wenig Meersalz bestreuen und 45 Min. rösten, bis die Zehen sehr weich sind. Falls die Knollen zu braun werden, den Topf mit Alufolie abdecken.

❸ Die Knollen einige Minuten abkühlen lassen, dann die Zehen behutsam ganz aus ihrer papierähnlichen Haut drücken. In eine Schüssel geben und mit den gehackten Kräutern und dem übrigen Olivenöl vermischen. Heiß oder handwarm servieren.

Grüne Bohnen in Senfsauce

ITALIENISCHER KETCHUP

Dieser herrliche Ketchup schmeckt besonders gut zu über Holzkohle gegrilltem Fisch.

ERGIBT 1,25 L

1 große Aubergine,
grobgehackt
6 große reife Tomaten, in
Stücke geschnitten
1 Kochapfel, nach Entfernen
des Kerngehäuses in Stücke
geschnitten
1 große Zwiebel, grobgehackt

2 Knoblauchzehen, halbiert
475 ml Rotweinessig
200 g brauner Zucker
5 Sternanisfrüchte
1/2 Bund frische Basilikum-
blätter
1 TL Salz

❶ Aubergine, Tomaten, Apfel, Zwiebel, Knoblauch, Essig, Zucker, Sternanis, Basilikum und Salz in einen großen Topf geben.

❷ Die Zutaten zum Kochen bringen, dann die Hitze reduzieren und den Topfinhalt zugedeckt 1 1/2 Std. köcheln lassen, bis er dick und musig ist, zwischendurch gelegentlich umrühren.

❸ Die Mischung durch ein feines Kunststoffsieb streichen, dann sofort in heiße, sterilisierte Gläser füllen und verschließen.

PILZ-KETCHUP

Diese vielseitig verwendbare Würze verleiht Suppen und Saucen noch mehr Aroma und kann anstelle von Sojasauce in pfannengerührte Speisen und Reisgerichte gegeben werden. In sterilisierte Flaschen gefüllt und verschlossen hält sich dieser Ketchup mehrere Monate.

ERGIBT 600 ML

1 kg große frische
   Champignons
50 g Salz
600 ml Rotweinessig
1 EL gemahlenes Piment

1 Stück Ingwerwurzel
   (1 cm groß), grobgehackt
2 Fäden Muskatblüte
1 Schalotte, feingehackt

❶ Die Champignons mit dem Salz in ein Glas mit Deckel schichten. Verschließen und zwei Tage stehenlassen, täglich zweimal umrühren.

❷ Den Glasinhalt mit den restlichen Zutaten in einen großen Topf geben. Zugedeckt 30 Min. köcheln lassen, zwischendurch hin und wieder durchrühren. Die Mischung durch ein feines Kunststoffsieb streichen, dann sofort in heiße, sterilisierte Flaschen füllen und verschließen.

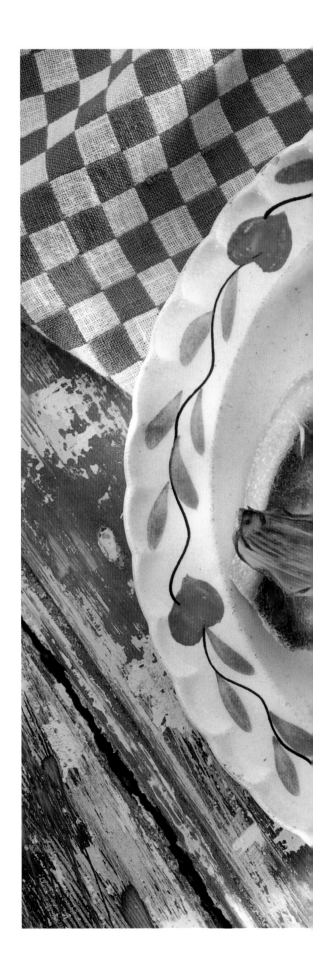

MITTELMEER-POTPOURRI

Dieses Gemüse-Potpourri kann heiß oder handwarm
als Teil einer Mahlzeit serviert oder unter frisch gegarte
Nudeln gehoben und als leichtes Mittag- oder
Abendessen gereicht werden.

FÜR 4 PERSONEN

1 große Aubergine	DRESSING
4 lange Schalotten	*3 EL Olivenöl*
2 Eiertomaten	*Saft von ¹/₂ Zitrone*
1 EL Olivenöl	*1 EL gehackter frischer*
Salz und frisch gemahlener	*Oregano*
schwarzer Pfeffer	

❶ Den Grill auf hoher Stufe vorheizen. Die Aubergine in
Scheiben (1 cm) schneiden. Schalotten und Tomaten vier-
teln, mit der Aubergine in eine mit Alufolie ausgekleidete
Grillpfanne legen. Mit Olivenöl bestreichen und dünn mit
Salz bestreuen.

❷ Das Gemüse 8–10 Min. grillen, bis es weich und leicht
gebräunt ist, zwischendurch einmal wenden. Die Auber-
ginenscheiben in Würfel schneiden und mit den Schalotten
und Tomaten in eine große Schüssel geben.

❸ Die Zutaten für das Dressing rasch verschlagen. Über das
warme Gemüse gießen und gut unterheben. Mit Salz und
Pfeffer abschmecken.

BEEREN-KETCHUP

Dieses Rezept bietet eine großartige Möglichkeit, übriggebliebene Beerenfrüchte wie Brombeeren oder Himbeeren zu verwenden. Der Ketchup schmeckt ausgezeichnet zu gut gereiftem Hartkäse. Der Käse sollte einen kräftigen Geschmack haben, weil ihn andernfalls die Aromen des Ketchups überlagern.

ERGIBT 1,25 L

2 kg Brombeeren
800 g weißer Zucker
600 ml Weißweinessig

1 TL gemahlene Nelken
1 TL gemahlenes Piment
1 Zimtstange

Wer vollkommen glatten Ketchup bevorzugt, verwendet ganze Gewürze und streicht den Ketchup nach dem Garen durch ein feines Kunststoffsieb, um Gewürze und Kerne zu entfernen.

❶ Brombeeren, Zucker, Essig und Gewürze in einen Topf geben. Zum Kochen bringen und rühren, bis sich der Zucker aufgelöst hat. Den Topfinhalt zugedeckt 1 Std. sanft köcheln lassen.

❷ Die Zimtstange herausnehmen und wegwerfen, dann den Ketchup sofort in heiße sterilisierte Gläser füllen und verschließen.

OLIVEN-TOMATEN-BEILAGE

Für eine köstliche Vorspeise oder ein leichtes Abendessen belegt man eine Scheibe Bauernbrot 1 cm dick mit weichem Ziegenkäse und grillt das Brot, bis der Käse goldbraun ist. Zu dem heißen Brot reicht man einen großen Löffel dieser duftenden Mischung.

FÜR 4 PERSONEN

6 Eiertomaten, in Stücke
  geschnitten
150 g Kalamata-Oliven
6 Frühlingszwiebeln, in
  dünne Scheiben geschnitten
2 EL Olivenöl
1 EL Balsamessig

1 Knoblauchzehe,
  feingehackt
1 EL gehacktes frisches
  Basilikum
Salz und frisch gemahlener
  schwarzer Pfeffer

❶ Tomaten und Oliven in eine Servierschüssel geben und gut mischen. Die Frühlingszwiebeln darüberstreuen.
❷ Olivenöl, Balsamessig, Knoblauch und Basilikum mit reichlich Salz und Pfeffer verrühren. Über die Tomaten und Oliven träufeln und sofort servieren.

DER NAHE OSTEN

AUS KULINARISCHER SICHT ERSTRECKT sich der Nahe Osten nicht nur von der Türkei bis hinunter zum Jemen, sondern umfaßt auch die nordafrikanischen Länder Marokko, Algerien, Libyen und Ägypten. Die Speisen dieser Region sind herzhaft und ausgewogen. Zu den Grundnahrungsmitteln gehören Getreide, Bohnen und Hülsenfrüchte. Obwohl aromatische Zutaten wie Tahin (Sesampaste), Trockenfrüchte, Oliven, Nüsse, Knoblauch und Joghurt gern und oft verwendet werden, spielen scharfe Speisen keine wichtige Rolle – Chilischoten werden relativ selten gebraucht.

An den weitverbreiteten Straßenverkaufsständen werden lokale Spezialitäten wie Fladenbrot mit Zwiebelsauce oder Falafel (Kichererbsenbällchen) angeboten.

BESONDERE ZUTATEN

Straßenhändler auf einem ägyptischen Basar.

KORIANDER

Vom Koriander, der häufig mit seinem mexikanischen Namen cilantro *bezeichnet wird, können sowohl die Samen als auch die Blätter verwendet werden. Die kleinen Samen findet man im gesamten Nahen Osten, insbesondere in Marokko. Sie sind rund und hart und werden wie Kreuzkümmel sowohl ganz als auch gemahlen angeboten. Es ist empfehlenswert, ganze Samen zu kaufen und sie im Mörser zu zerstoßen.*

Frischer Koriander hat einen aromatischen Geschmack. Man pflückt die Blätter vom Stengel und streut sie ganz oder grobgehackt über ungekochte Saucen oder rührt sie gegen Ende der Garzeit unter. Koriandergrün wird im Nahen Osten für Gerichte wie Couscous ausgiebig verwendet.

KREUZKÜMMEL

Kreuzkümmel ist in Nordafrika ein beliebtes Gewürz und wird auch in der asiatischen Küche ausgiebig verwendet. Die kleinen Samen sind sowohl ganz als auch gemahlen erhältlich, und wie die meisten Gewürze schmecken sie besser, wenn man sie Gerichten geröstet hinzufügt. Kreuzkümmel hat einen feinen Geschmack und kann großzügig verwendet werden.

Olivenöl

Olivenöl ist nicht nur im Mittelmeerraum sehr beliebt, sondern findet auch im Nahen Osten häufig Verwendung. Kaltgepreßtes Olivenöl, das auch die Bezeichnung „extra vergine" oder „nativ extra" trägt, stammt aus der ersten Pressung und ist das reinste und aromatischste Öl, aber auch das teuerste unter all den im Handel erhältlichen Olivenölen. Die anderen Öle sind stärker raffiniert und haben weniger Charakter, eignen sich aber gut zum Kochen. Das hochwertige kaltgepreßte Olivenöl sollte für ungegarte Saucen und Salat-Dressings verwendet werden, da starke Hitze das besondere Aroma weitgehend zerstört und es kalt am besten zur Geltung kommt.

Tahin

Diese dicke ölige Paste besteht aus feingemahlenem Sesam. Gewöhnlich ist sie in Gläsern abgefüllt und trennt sich, wenn sie länger steht, so daß sie vor Gebrauch kräftig durchgerührt werden muß. Sie aromatisiert viele Speisen des Nahen Osten, etwa Hummus und Falafel, und schmeckt in Ketchups und Suppen köstlich.

Joghurt

Joghurt ist im Nahen Osten eine wichtige Zutat. Oft dient er als Grundlage für Marinaden und Suppen und verleiht eher langweiligen Gerichten einen erfrischend säuerlichen Geschmack. Der dicke Naturjoghurt wird aus Kuhmilch und Lebendkulturen hergestellt und ist weithin erhältlich.

Gewürze haben in der Küche des Nahen Osten stets eine wichtige Rolle gespielt.

FATTOUSH

Dieser beliebte libanesische Salat enthält knusprig
getoastete Fladenbrotstücke, die kurz vor dem Servieren
untergehoben werden.

FÜR 4–6 PERSONEN

1 Salatgurke, gewürfelt
*1 große rote Paprikaschote,
  nach Entfernen von Rippen
  und Kernen gewürfelt*
4 reife Tomaten, gewürfelt
*75 g aromatische schwarze
  Oliven, etwa griechische
  oder spanische Sorten*
*1 Bund Frühlingszwiebeln,
  schräg in dicke Scheiben
  geschnitten*

*2 EL gehackte frische glatte
  Petersilie*
*2 Fladenbrote, goldbraun
  und knusprig getoastet*
Saft von 1/2 Zitrone
3 EL Olivenöl
*Salz und frisch gemahlener
  schwarzer Pfeffer*

❶ Gurke, rote Paprikaschote, Tomaten, Oliven, Zwiebeln
und Petersilie in einer großen Schüssel mischen.
❷ Das Brot in mundgerechte Stücke reißen und hinzufügen.
❸ Zitronensaft, Olivenöl sowie reichlich Salz und Pfeffer
verschlagen. Über den Salat gießen und gut unterheben. Sofort servieren.

SABRA

Dieses israelische Gericht wird oft als Dip für Kräcker
und Brot als Vorspeise serviert.

FÜR 2 PERSONEN

1 reife Avocado
*1 grüne Paprikaschote, nach
  Entfernen von Rippen und
  Kernen in kleine Würfel
  geschnitten*
*1 kleine Zwiebel,
  feingewürfelt*

2 EL Weißweinessig
1 EL frischer Zitronensaft
200 g griechischer Joghurt
*Salz und frisch gemahlener
  Pfeffer*

❶ Die Avocado halbieren, schälen und entsteinen, dann in
einer großen Schüssel zu einem glatten Püree zerdrücken.
❷ Paprikaschote, Zwiebel, Essig, Zitronensaft und Joghurt
dazugeben und die Zutaten behutsam, aber sorgfältig
verrühren.
❸ Den Dip mit Salz und Pfeffer abschmecken und bis zum
Verzehr abgedeckt kalt stellen.

Fattoush

HARISSA

Diese nordafrikanische Würzpaste wird, vor allem in Marokko, stets zu Couscous serviert. Wer es nicht ganz so scharf mag, kann die Paste mit einer glatten Tomatensauce strecken.

FÜR 10 PERSONEN

10 frische rote Chilischoten
1 rote Paprikaschote
4 Knoblauchzehen, grobgehackt
1 TL Koriandersamen

1 TL gemahlener Kreuz-kümmel
1 TL grobes Meersalz
3 EL Weißweinessig
2 EL Olivenöl

❶ Chillies und Paprikaschote entkernen und grob hacken.
❷ Die gehackten Schoten mit Knoblauch, Koriandersamen und gemahlenem Kreuzkümmel in einen Mörser geben und zu einer Paste verreiben. Dieser Arbeitsgang kann auch in der Küchenmaschine erfolgen.
❸ Salz, Essig und Olivenöl hineinrühren und die Paste abgedeckt in den Kühlschrank stellen. Sie hält sich eine Woche und läßt sich auch gut einfrieren.

TAHIN-SAUCE

Diese Sauce findet sich auf den Eßtischen des Nahen Osten und aromatisiert zahllose Gerichte. Mit dickem Joghurt vermischt wird sie zu einem cremigen Dip für Rohkost und Kartoffelchips.

FÜR 6 PERSONEN

*2 Knoblauchzehen,
   grobgehackt
150 g Tahin (Sesampaste)
¹/₂ TL gemahlener Koriander
¹/₂ TL gemahlener Kreuz-
   kümmel*

*Saft von 1 Zitrone
Salz und frisch gemahlener
   schwarzer Pfeffer*

❶ Knoblauch, Tahin, Koriander und Kreuzkümmel für 1 Min. in den Mixer geben, dann bei laufendem Motor nach und nach den Zitronensaft sowie 50 ml Wasser hinzufügen.

❷ Mit Salz und Pfeffer abschmecken, in ein Glas oder einen Kunststoffbehälter füllen und bis zum Gebrauch in den Kühlschrank stellen. Die Sauce hält sich bis zu 10 Tage.

KICHERERBSEN MIT KNOBLAUCH

Mit einer Auswahl an Salaten kann dieses kleine Gericht als Teil einer Mahlzeit serviert oder als leichtes Mittagessen mit etwas griechischem Joghurt vermischt und mit Fladenbrot gereicht werden.

FÜR 4–6 PERSONEN

2 EL Pflanzenöl

2 Knoblauchzehen, in dünne Scheiben geschnitten

1 TL Kreuzkümmelsamen

300 g Kichererbsen aus der Dose, abgetropft und abgespült

2 EL gehackte frische Minze

2 EL gehackter frischer Koriander

Saft von 1 Limette

Salz und frisch gemahlener schwarzer Pfeffer

❶ Das Öl in einer kleinen Pfanne erhitzen, dann Knoblauch und Kreuzkümmel dazugeben und 5 Min. unter gelegentlichem Rühren sanft garen, bis der Knoblauch weich, aber noch nicht gebräunt ist.

❷ Die Kichererbsen in eine Schüssel geben und Knoblauchmischung, Minze, Koriander und Limettensaft hineinrühren.

❸ Mit Salz und Pfeffer abschmecken. Warm servieren oder bis zum Verzehr abgedeckt in den Kühlschrank stellen.

ZHOUG

Diese scharfe Würzpaste, die auch unter den Bezeichnungen *zhoog* oder *zhug* bekannt ist, stammt aus dem Jemen, wo man Chillies sehr schätzt. Man gibt sie in Suppen und Dips oder träufelt sie über Falafel (fritierte Kichererbsenbällchen). Im Kühlschrank hält sie sich bis zu 10 Tage, am intensivsten schmeckt sie jedoch am Tag der Zubereitung.

FÜR 10 PERSONEN

6 Knoblauchzehen,
   grobgehackt
6 grüne Chilischoten,
   entkernt und grobgehackt
2 Tomaten, abgezogen,
   entkernt und grobgehackt
8 EL gehackte frische glatte
   Petersilie

8 EL gehackter frischer
   Koriander
1 EL gemahlener Kreuz-
   kümmel
2 EL Olivenöl
2 EL Zitronensaft
Salz und frisch gemahlener
   schwarzer Pfeffer

❶ Knoblauch und Chillies in den Mixer oder die Küchenmaschine geben und pürieren.
❷ Tomaten, Petersilie, Koriander und Kreuzkümmel untermischen, dann bei laufendem Motor Olivenöl und Zitronensaft langsam dazugeben, um eine glatte, dicke Sauce herzustellen.
❸ Mit Salz und Pfeffer abschmecken. In ein Glas oder einen Kunststoffbehälter füllen und verschließen. Mindestens eine Stunde kalt stellen.

AUBERGINEN-TAHIN-KETCHUP

Zu den überall im Nahen Osten sehr beliebten gegrillten Speisen paßt diese Sauce ausgezeichnet. Abgedeckt im Kühlschrank aufbewahrt hält sie sich zwei bis drei Tage.

FÜR 4 PERSONEN

1 große Aubergine, längs halbiert
2 EL Olivenöl
2 EL Tahin (Sesampaste)
2 Knoblauchzehen, zerdrückt
Saft von ¹/₂ Zitrone
2 EL gehackter frischer Koriander
Salz und frisch gemahlener schwarzer Pfeffer

❶ Elektro- oder Holzkohlengrill vorbereiten. Die halbierte Aubergine etwa 30 Min. grillen, bis sie weich ist, zwischendurch einmal wenden.

❷ Die Aubergine schälen und die Schale wegwerfen. Das Fruchtfleisch im Mixer oder in der Küchenmaschine pürieren, dann in eine Schüssel geben. Olivenöl, Tahin, Knoblauch, Zitronensaft und Koriander hineinrühren. Mit Salz und Pfeffer abschmecken.

PIKANTER ORANGEN-SALAT

Dieser kräftige Salat wird in der Türkei zu
gegrilltem Fisch oder Fleisch gereicht. Am besten
schmeckt er handwarm serviert.

FÜR 4 PERSONEN

*3 große Orangen, geschält
und filetiert*
1 rote Zwiebel, feingehackt
*1 feste Tomate, entkernt und
in sehr kleine Würfel
geschnitten*

DRESSING
2 EL Olivenöl
2 EL Rotweinessig
1 TL Chilipulver
*2 EL gehackter frischer
Thymian*
Salz und schwarzer Pfeffer

1 Die Orangenschnitze in jeweils drei mundgerechte Stücke gleicher Größe schneiden und mit Zwiebel und Tomate in eine Schüssel geben. Behutsam durchheben.

2 Die Zutaten für das Dressing gut verschlagen. Mit Salz und Pfeffer abschmecken und über den Salat geben.

3 Noch einmal gut durchheben, dann abdecken und vor dem Servieren 1–4 Std. durchziehen lassen.

FETA-OLIVEN-SALAT

Für ein einfaches, schmackhaftes Mittagessen gibt
man diese Mischung auf dicke getoastete Brotscheiben und
beträufelt sie mit dem Zitronen-Öl-Dressing.

FÜR 2 PERSONEN

*1 große, reife Avocado,
gewürfelt
2 große reife Tomaten,
gewürfelt
100 g schwarze Oliven
1 rote Zwiebel, grobgehackt*

*100 g Feta-Käse, gewürfelt
1 EL gehackte frische
Petersilie
2 EL Olivenöl
Saft von 1 Zitrone
Salz und Pfeffer*

❶ Avocado, Tomaten, Oliven, Zwiebel und Käse in eine
Schüssel geben und sorgfältig durchheben.
❷ Petersilie, Olivenöl, Zitronensaft sowie Salz und Pfeffer
verschlagen und über den Salat geben. Sofort servieren.

TABBOULEH

Dieser libanesische Klassiker wird mit Bulgur (geschrotetem Weizen) zubereitet. Bulgur ist meist vorgegart und getrocknet erhältlich und gart rasch in kochendem Wasser.

FÜR 4-6 PERSONEN

125 g Bulgur	*125 g Feta-Käse, zerkrümelt*
2 Tomaten, in kleine Stücke	*oder gewürfelt*
geschnitten	*4 EL gehackte frische Minze*
2 Knoblauchzehen,	*Saft von 1 Zitrone*
feingehackt	*3 EL Olivenöl*
1 rote Zwiebel, feingehackt	*Salz und frisch gemahlener*
	schwarzer Pfeffer

❶ Den Bulgur in eine große Schüssel geben und mit kochendem Wasser bedecken. 20 Min. stehen lassen, bis er gequollen ist und das meiste Wasser aufgenommen hat. Sorgfältig abtropfen lassen. Überschüssiges Wasser mit den Händen herausdrücken und den Bulgur wieder in die Schüssel geben.

❷ Tomaten, Knoblauch, Zwiebel, Feta-Käse, Minze, Zitronensaft und Olivenöl zum Bulgur geben. Die Zutaten gut vermischen und mit Salz und Pfeffer abschmecken. Bis zum Servieren abgedeckt in den Kühlschrank stellen.

APRIKOSEN-DUKKAH

Dukkah, eine nussig schmeckende ägyptische Köstlichkeit, wird von Straßenhändlern in kleinen Papiertüten verkauft. Zusätzliche getrocknete Aprikosen und Gewürze oder etwas Zitronensaft, gehackte rote Zwiebel und Knoblauch verleihen ihr eine pikante Note. Sie hält sich in einem luftdicht verschlossenen Behälter mehrere Wochen.

FÜR 4-6 PERSONEN

125 g Haselnüsse,
grobgehackt
4 EL Sesam
1 TL Koriandersamen
1 TL Kreuzkümmel
1 EL gehackter frischer
Thymian

1 EL gehackte frische Minze
150 g Trockenaprikosen,
grobgehackt
Salz und frisch gemahlener
schwarzer Pfeffer

❶ Haselnüsse, Sesam, Koriandersamen und Kreuzkümmel in einer großen heißen Pfanne oder einem Wok unter Rühren 5–10 Min. rösten, bis sie goldbraun sind.
❷ Die Nußmischung mit Thymian, Minze und der Hälfte der Aprikosen in den Mixer geben und fein hacken.
❸ Die restlichen Aprikosen in die Mischung hineinrühren. Mit Salz und Pfeffer abschmecken.

AFRIKA

In den verschiedenen Ländern und
Regionen Afrikas finden sich zahlreiche kulinarische Charakteristika.
In gewissen Gegenden ist das Angebot an Nahrungsmitteln begrenzt –
sei es, weil das Land von einer Naturkatastrophe heimgesucht wurde
oder der Boden schlecht ist. In anderen Gebieten sind die Speisen herzhaft, bekömmlich und sehr schmackhaft. Ähnlich wie die übrige Welt
hat auch Afrika kulinarische Einflüsse anderer Länder – wie Südamerika – erfahren und übernommen. Afrikas Küche ist heute ebenso
innovativ wie die aller anderen Kontinente.

BESONDERE ZUTATEN

Auf afrikanischen Märkten gibt es ein großes Angebot an frischen Waren.

OKRASCHOTEN

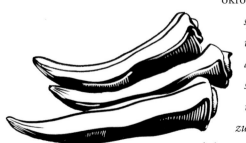

Dieses fingerförmige Grüngemüse, auch bhindi, okro *oder* ochroes *genannt, spielt in der Küche vieler afrikanischer, asiatischer und karibischer Länder eine wichtige Rolle. Wird es zu lange gekocht, bekommt es eine unangenehme* schleimige Konsistenz. Vor dem Garen wäscht man die Schoten, tupft sie ab und schneidet die Enden ab. Okras schmecken besonders gut, wenn sie mit anderen Gemüsen gedünstet werden, wie in dem klassischen Südstaaten-Gumbo.

PALMÖL

Das leuchtendrote Palmöl hat einen sehr charakteristischen Geschmack und ist nur in Spezial-

geschäften erhältlich. Es wird in kleinen Mengen verwendet, um Suppen und Saucen zu aromatisieren. Ersatzweise kann Sonnenblumen- oder Maisöl mit etwas Kurkuma genommen werden.

GEMÜSEBANANEN

Auch wenn die Gemüsebanane zur gleichen Gattung gehört wie die Obstbanane, kann sie roh nicht verzehrt werden. Gemüsebananen lassen

sich in jedem Reifestadium von Grün bis Schwarz verwenden und werden mit dem Reifen süßer. Zur Herstellung knuspriger Bananenchips sollten Gemüsebananen hart und grün sein, zum Backen oder Kochen jedoch reif und gelb.

Diese afrikanischen Produkte lassen eine reichhaltige Auslage entstehen.

PIKANTE GARNELEN

Dieser schlichte Salat ist ein wunderbarer Snack. Statt Palmöl kann ersatzweise Pflanzenöl mit 1 TL gemahlenem Kurkuma verwendet werden.

FÜR 4 PERSONEN

2 EL Palmöl

1 kleine Zwiebel, feingehackt

2 frische rote Chilischoten, entkernt und feingehackt

4 Knoblauchzehen, feingehackt

2 Tomaten, abgezogen, entkernt und gewürfelt

300 g frische Garnelen, geschält

30 g frischer Koriander, gehackt

Saft von 1 Limette

Salz und frisch gemahlener schwarzer Pfeffer

❶ Das Öl in einem Topf erhitzen. Zwiebel, Chilischoten und Knoblauch hinzufügen und etwa 5 Min. unter gelegentlichem Rühren sanft braten, bis sie weich sind.

❷ Tomaten, Garnelen, Koriander und Limettensaft dazugeben und die Zutaten weitere 3–4 Min. sanft braten, bis sich die Garnelen rosa färben, zwischendurch gelegentlich umrühren. Mit Salz und Pfeffer abschmecken und heiß oder abgekühlt servieren.

AFRIKANISCHER AUBERGINEN-DIP

Dieser cremige Dip ist eine Spezialität aus dem Norden Afrikas. Er wird handwarm als schmackhafte Vorspeise zu warmem Toast gereicht.

FÜR 6 PERSONEN

1 große Aubergine, gewürfelt

4 EL Olivenöl

1 Zwiebel, grobgehackt

2 Knoblauchzehen, grobgehackt

1 rote Chilischote, entkernt und feingehackt

1 TL gemahlener Kreuzkümmel

$^1/_4$ TL Kurkuma

3 Tomaten, grobgehackt

Saft von 1 Limette

2 EL gehackte frische Petersilie

Salz und frisch gemahlener schwarzer Pfeffer

Naturjoghurt zum Servieren

❶ Die Aubergine in 3 EL Öl 5 Minuten braten, bis sie weich und rundum goldbraun ist. Mit einem Schaumlöffel herausnehmen und auf Küchenpapier abtropfen lassen.

❷ Das restliche Öl in der Pfanne erhitzen. Zwiebel, Knoblauch und Chilischote hinzufügen und unter gelegentlichem Rühren 3 Min. sanft garen. Kreuzkümmel und Kurkuma dazugeben und alles noch einmal 2 Min. garen, bis die Zwiebel weich ist.

❸ Tomaten, Limettensaft, Petersilie und Auberginenwürfel hineinrühren und die Zutaten weitere 15 Min. behutsam garen, dabei mit der Gabel zerdrücken, bis ein dickes Püree entstanden ist. Mit Salz und Pfeffer abschmecken. Abkühlen lassen und bis zum Verzehr kalt stellen. Mit Naturjoghurt servieren.

Pikante Garnelen

OKRA-SALSA

Diese pikante Salsa eignet sich ausgezeichnet als Beilage zu geräuchertem Fleisch und Meeresfrüchten. Zur Verfeinerung können einige gegarte und geschälte Garnelen hinzugefügt werden.

FÜR 6 PERSONEN

4 EL Palmöl

250 g Okraschoten, in dünne Scheiben geschnitten

2 Zwiebeln, feingehackt

1 Stück Ingwerwurzel (1 cm groß), gerieben

1 rote Chilischote, entkernt und feingehackt

2 Knoblauchzehen, feingehackt

1 TL Gewürzmischung aus gemahlenem Koriander, Zimt, Kümmel, Muskat, Ingwer und Nelken

$^{1}/_{2}$ TL Kurkuma

2 Tomaten, abgezogen, entkernt und gewürfelt

2 EL gehackter frischer Koriander

Salz und frisch gemahlener schwarzer Pfeffer

❶ Das Öl in einem großen Topf erhitzen. Okraschoten, Zwiebeln, Ingwer, Chilischote, Knoblauch und Gewürze hinzufügen und 5 Min. unter Rühren braten. Die Tomaten und 3 EL Wasser dazugeben, dann die Zutaten zugedeckt 15 Min. behutsam garen, bis die Okras weich sind.

❷ Mit Koriander sowie Salz und Pfeffer abschmecken. Heiß servieren.

Würziger Orangen-Ketchup

Diese Würzsauce eignet sich auch ausgezeichnet als Marinade für gebratenen Fisch oder gegrilltes Huhn. Werden die Früchte geschält, erhält der Ketchup ein süßeres Aroma.

ERGIBT 1,25 L

2 unbehandelte Orangen	500 ml Apfelsaft
4 unbehandelte Limetten	1 TL Salz
8 Knoblauchzehen	8 ganze Nelken
2 rote Chilischoten, entkernt und feingehackt	8 ganze schwarze Pfefferkörner
450 g brauner Zucker	2 rote Paprikaschoten, entkernt und gewürfelt
500 ml Apfelessig	

❶ Orangen und Limetten ungeschält grob hacken. Mit Knoblauch, Chillies, Zucker, Essig, Apfelsaft, Salz, Nelken und Pfeffer in einen großen Topf geben, zum Kochen bringen und rühren, bis sich der Zucker aufgelöst hat.

❷ Die Zutaten abgedeckt 45 Min. sanft köcheln lassen. Die Paprikaschoten hinzufügen und den Topfinhalt noch einmal 45 Min. garen, bis die Früchte weich und musig sind. Die Mischung durch ein feines Kunststoffsieb streichen, dann sofort in heiße, sterilisierte Gläser füllen und verschließen.

FRITIERTE GEMÜSEBANANEN

Bananenchips sind ein köstlicher Snack für sich, doch müssen sie vor dem Fritieren gewürzt werden. Dieser schmackhafte kleine Salat muß sofort gegessen werden, da die fritierten Bananen sehr rasch weich werden.

FÜR 6 PERSONEN

2 große unreife Gemüse-
  bananen
Pflanzenöl zum Fritieren
2 Tomaten, gewürfelt
1 Mango, geschält und
  gewürfelt
4 Frühlingszwiebeln,
  feingehackt

DRESSING
1 Knoblauchzehe,
  feingehackt
2 EL Apfelessig
2 EL Pflanzenöl
einige Tropfen Tabasco-Sauce
  oder 1 TL Chili-Sambal
Salz und schwarzer Pfeffer

❶ Die Gemüsebanane in sehr dünne Scheiben schneiden. Das Öl in einen schweren Topf geben und erhitzen, bis ein Brotwürfel innerhalb von Sekunden bräunt. Die Bananenscheiben 3 Min. im heißen Öl fritieren. Wenn sie knusprig und goldbraun sind, herausheben und auf Küchenpapier gut abtropfen lassen.

❷ Die Zutaten für das Dressing verschlagen und mit Salz und Pfeffer abschmecken.

❸ Die Bananenchips mit Tomaten, Mango, Frühlingszwiebeln und Dressing vermischen. Sofort servieren.

PIRI-PIRI

Nicht nur in Portugal ist Piri-Piri eine beliebte Würze für Eintöpfe, auch in Teilen des südlichen Afrika ist es bekannt. Man verwendet es sparsam als Würze bei Tisch, um langweiligeren Gerichten Aroma und Schärfe zu verleihen.

FÜR 8 PERSONEN

12 rote Chilischoten, entkernt und feingehackt
120 ml Pflanzenöl
1 TL frischer feingehackter Oregano

Saft von 1 Zitrone
Salz und frisch gemahlener schwarzer Pfeffer

❶ Die Chillies im Mörser zu einer Paste zerreiben. Nach und nach Öl, Oregano, Zitronensaft sowie Salz und Pfeffer unterschlagen, um eine glatte Sauce herzustellen.
❷ Piri-Piri hält sich abgedeckt im Kühlschrank 3–5 Tage.

CHILI-SAMBAL

Das aus Ghana stammende Chili-Sambal dient traditionell dazu, einfache Reis- und Gemüsegerichte aufzupeppen. Man streicht es auch sparsam auf Fisch oder Fleisch, die man über Holzkohle grillt, oder rührt ein wenig in einfache Saucen, um ihnen mehr Geschmack zu verleihen. Abgedeckt im Kühlschrank hält es sich bis zu fünf Tagen.

FÜR 8 PERSONEN

6 scharfe rote Chilischoten, entkernt und grobgehackt
1 Zwiebel, grobgehackt
3 Tomaten, abgezogen, entkernt und grobgehackt
1 EL geriebene frische Ingwerwurzel

1 EL Pflanzenöl
abgeriebene Schale und Saft von 1 unbehandelten Limette
Salz und frisch gemahlener schwarzer Pfeffer

Alle Zutaten im Mixer oder in der Küchenmaschine glattpürieren.

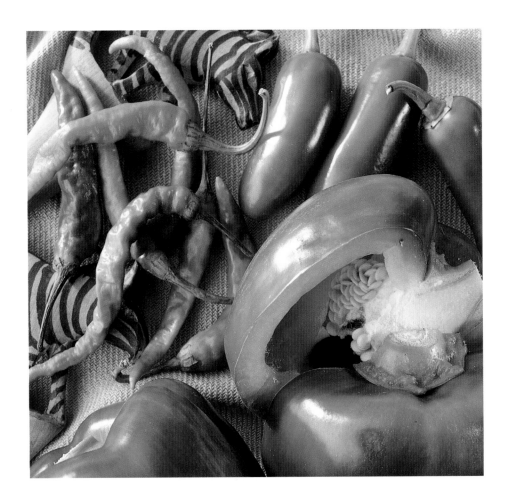

KETCHUP VON GRÜNEM PAPRIKA

Diese Sauce mit leichter Schärfe paßt ausgezeichnet zu
gebratenem Fleisch und Geflügel. Luftdicht verschlossen
hält sie sich mindestens sechs Monate.

ERGIBT 900 ML

*8 grüne Paprikaschoten,
entkernt und gewürfelt*
*8 grüne Chilischoten,
entkernt und halbiert*
1 Zwiebel, grobgehackt
2 Knoblauchzehen

*2 Scheiben frische
Ingwerwurzel*
1 l Rotweinessig
450 g brauner Zucker
1 EL schwarze Pfefferkörner
1 TL Salz

❶ Paprikaschoten, Chillies, Zwiebel, Knoblauch, Ingwer,
Essig und Zucker in einen großen Topf geben.
❷ Zum Kochen bringen und rühren, bis sich der Zucker
aufgelöst hat. Die Hitze reduzieren und den Topfinhalt
zugedeckt unter gelegentlichem Rühren $1^{1}/_{2}$ Std. behutsam
köcheln lassen. Die Mischung durch ein feines Kunststoffsieb
streichen, dann sofort in heiße, sterilisierte Gläser füllen und
verschließen.

SCHARFE INGWERSAUCE

Diese scharfe, süß-saure Sauce schmeckt besonders gut zu gebratenem Stockfisch. Sie hält sich selbst im Kühlschrank nur 1–2 Std., dann verliert sie an Aroma und Farbe. Sie sollte daher möglichst bald nach der Zubereitung verzehrt werden.

FÜR 2 PERSONEN

1 Stück frische Ingwerwurzel (8 cm groß)
1 reife Papaya, geschält und grobgewürfelt
2 Knoblauchzehen, feingehackt

2 frische rote Chilischoten, entkernt und feingehackt
Saft von 1 Zitrone
Salz und frisch gemahlener schwarzer Pfeffer

❶ Den Ingwer schälen und fein reiben. Die Papayawürfel in eine Schüssel geben und mit einer Gabel gut zerdrücken.
❷ Ingwer, Knoblauch, Chillies, Zitronensaft sowie Salz und Pfeffer nach Geschmack hineinrühren. Abdecken und bis zum Verzehr kalt stellen.

LIMETTENSAUCE

Diese belebende Sauce eignet sich mit Erdnußöl verrührt ausgezeichnet als Dressing zu knackigem grünem Salat und paßt auch zu gedämpften oder gegrillten Meeresfrüchten.

FÜR 4 PERSONEN

2 Knoblauchzehen
4 grüne Chilischoten, entkernt
3 EL frische Korianderblätter

2 EL helle Sojasauce
3 EL Zucker
Saft von 1 Limette

Knoblauch, Chillies, Koriander und Sojasauce in den Mixer oder die Küchenmaschine geben und glattpürieren. Den Zucker und etwa 6 EL Wasser hinzufügen und rühren, bis sich der Zucker aufgelöst hat. Den Limettensaft unterrühren und die Sauce bis zum Verzehr kalt stellen.

ASIEN

DAS CHARAKTERI-
STISCHSTE MERK-
MAL *der asiatischen*
Küche sind scharfe, kräftige Aromen von Gewürzen wie
Ingwer. Weitere typische Aromazutaten sind Chilischoten, Zitronengras,
Garnelenpaste, Soja- und Fischsauce. Für die Mehrheit der ländlichen
Bevölkerung ist der Hauptproteinlieferant gesalzener und getrockneter
Fisch, aus dem auch die intensiven salzigen Saucen und Pasten her-
gestellt werden, die man zum Würzen von Ketchups und Saucen ver-
wendet.

Palmzucker verleiht zusammen mit Essig, Zitrusfrüchten und anderen
sauren Früchten wie Tamarinde den Speisen den asiatischen, süß-
sauren Geschmack. Salzige Saucen in Kombination mit scharfen
Chillies sorgen für eine weitere typische Geschmacksrichtung.

BESONDERE ZUTATEN

Der schwimmende Markt von Bangkok bietet eine Fülle von frischem Obst und Gemüse.

BASILIKUM

Eine wichtige Zutat der thailändischen und vietnamesischen Küche ist Basilikum, von dem es unterschiedliche Arten gibt. Am beliebtesten ist das grüne Gartenbasilikum, wie man es auch im Westen erhält. Rotblättriges Basilikum hat einen milden Geschmack, der sich beim Garen intensiviert. Bei uns ist es nicht ohne weiteres erhältlich, doch kann man es leicht selber auf der Fensterbank ziehen.

CHILLIES

Als Faustregel gilt: Je kleiner und dünnschaliger die Chillie, desto größer ist ihre Schärfe. Im Gegensatz zu den im Westen erhältlichen milden, dickschaligen Jalapeño-Chillies sind asiatische Chillies klein, spitz und voller Kerne. Die besonders scharfen Kerne sollten vor der Verwendung der gehackten Chilischoten sorgfältig entfernt werden. Man bekommt diese Chillies in asiatischen Lebensmittelgeschäften. Bei der Verarbeitung sollte man sehr vorsichtig sein und zum Schutz vor Hautreizungen Gummihandschuhe tragen.

ZITRONENGRAS

Dieses dicke, beinahe holzige Gras wird in ganz Südostasien verwendet und verleiht Suppen, Brühen und Currys ein zartes Zitronenaroma. Es ist in asiatischen Lebensmittelgeschäften erhältlich, und locker eingewickelt kann es im Kühlschrank bis zu zehn Tage aufbewahrt werden.

FISCHSAUCE

Die kräftige, salzige Fischsauce wird auf ähnliche Weise wie Sojasauce (siehe unten) zubereitet. Nachdem Fisch und Salz fermentiert wurden, filtert man die vorhandene Flüssigkeit ab und erhält die dünne, dunkelbraune Sauce, die in den Küchen Thailands, Vietnams und Burmas eine wichtige Rolle spielt. In Vietnam wird sie als Würze bei fast allen Mahlzeiten gereicht, und mit etwas Chilipulver, gemahlenen Nüssen oder Zucker läßt sich daraus ein ausgezeichneter Dip herstellen.

INGWER

Eines der beliebtesten Gewürze der asiatischen Küche ist Ingwer, den man frisch oder eingelegt verwendet. Frische Wurzeln werden geschält und in dünne Scheiben geschnitten oder gerieben Suppen, pfannengerührten Speisen, Ketchups und Saucen zugefügt. In China und Japan schneidet man junge Wurzeln in dünne Scheiben und legt sie in Essig ein, weil die folgende chemische Reaktion dem Ingwer eine zarte rosa Farbe verleiht. Er wird häufig als Dekoration für Sushi verwendet. Eingelegter Ingwer ist in asiatischen Lebensmittelgeschäften erhältlich.

Aufgefädelte Chillies trocknen in der Sonne.

GARNELENPASTE

Für diese Paste werden in Lake fermentierte Garnelen gemahlen, die anschließend in Blöcke gepreßt und getrocknet werden. Die Blöcke werden in Öl aufbewahrt, um den starken Geruch zu mildern.

SOJASAUCE

Die milde salzige Sauce, die man in China seit Tausenden von Jahren verwendet, wird aus fermentierten Sojabohnen und geschrotetem Getreide (meist Weizen, manchmal auch Gerste) hergestellt und reift einige Monate in Holzfässern, bevor man sie abfiltert und in Flaschen füllt. Sie ist eine unverzichtbare Zutat in der chinesischen und japanischen Küche und wird auch als Würze bei Tisch gereicht. Es gibt viele verschiedene helle und dunkle Sojasaucen, darunter tamari, shoyu *und* kecap.

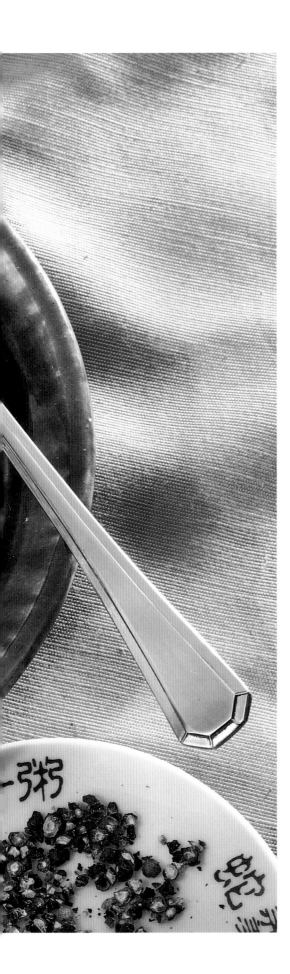

JAPANISCHE GRAPEFRUIT

Dieser erfrischende Salat ist ein wahrer Gaumenreiniger und ausgezeichnet dazu geeignet, im Anschluß an ein scharfes oder würziges Gericht serviert zu werden.

FÜR 4 PERSONEN

2 Grapefruits, filetiert
1 Schale frische Himbeeren
1 TL schwarze Pfefferkörner
120 ml Sake (japanischer Reiswein)

1/2 Bund frische Basilikumblätter, in Streifen geschnitten
1/4 TL Salz

❶ Die Grapefruitschnitze in je drei mundgerechte Stücke gleicher Größe schneiden, dann mit den Himbeeren in eine Servierschüssel geben.

❷ Die Pfefferkörner im Mörser grob zerstoßen und in eine kleine Schüssel geben. Sake, Basilikum und Salz unterrühren und das Dressing über das Obst gießen. Den Salat gut durchheben und abgedeckt 1 Std. kalt stellen.

SAMBAL VON ROTEN PAPRIKA

Diese pikante Würzsauce ist in Indonesien sehr beliebt, wo man sie zu beinahe jeder Mahlzeit reicht. Im Kühlschrank in einem Glas mit Schraubdeckel aufbewahrt hält sie sich eine Woche.

ERGIBT ETWA 250 G

1 große rote Paprikaschote (etwa 250 g schwer), entkernt und grobgehackt
1 TL Garnelenpaste
1 TL zerstoßene getrocknete Chillies

4 EL Sonnenblumenöl
1 TL dunkelbrauner Zucker
1/2 TL Salz
Saft von 1 Limette

❶ Paprikaschote, Garnelenpaste und zerstoßene Chillies im Mixer glattpürieren.

❷ Das Sonnenblumenöl im Wok oder in einer Pfanne erhitzen und die Paprikamischung etwa 5 Min. unter Rühren braten, bis sie sich dunkelrot färbt und das Öl sich trennt. Zucker und Salz zufügen und rühren, bis sie sich aufgelöst haben.

❸ Den Limettensaft hineinrühren und den Topf von der Kochstelle nehmen. Das Sambal abkühlen lassen, dann abdecken und bis zur Verwendung in den Kühlschrank stellen.

Japanische Grapefruit

PIKANTE THAILÄNDISCHE SAUCE

Diese sehr kräftige Sauce kann sparsam eingesetzt werden.

FÜR 6 PERSONEN

6 Schalotten, halbiert
6 Knoblauchzehen
6 grüne Chilischoten
1 EL Sonnenblumenöl
1 große Tomate, entkernt
und in winzige Würfel
geschnitten

1 TL Garnelenpaste
1 EL Fischsauce
2 EL frisch gepreßter
Limettensaft
Salz und frisch gemahlener
schwarzer Pfeffer

❶ Den Grill auf hoher Stufe vorheizen. Schalotten, Knoblauch und grüne Chillies mit Öl bestreichen und für 8 Min. unter den heißen Grill legen, bis sie weich und leicht geschwärzt sind, zwischendurch einmal wenden. Schalotten und Knoblauch grob hacken und in eine Servierschüssel geben.

❷ Die Chillies aufschneiden und die Kerne entfernen, dann fein hacken und beiseite stellen.

❸ Die Tomatenwürfel mit den Schalotten und dem Knoblauch mischen. Garnelenpaste, Fischsauce, Limettensaft und gehackte Chillies verschlagen, über die Tomaten geben und gut unterheben. Mit Salz und Pfeffer abschmecken. Warm oder abgekühlt servieren.

SATAY-SAUCE

Satay-Sauce wird traditionell zu Fleischspießen gereicht.
Ein Eßlöffel davon schmeckt auch in pfannengerührtem
Gemüse gut.

FÜR 4 PERSONEN

50 g Kokoscreme
3 EL glatte Erdnußbutter
1 EL Sojasauce
2 EL frisch gepreßter
Zitronensaft

1 EL ungeröstete Erdnüsse,
enthäutet und grobgehackt
Salz und frisch gemahlener
schwarzer Pfeffer

❶ Die Kokoscreme mit Erdnußbutter, Sojasauce und Zitronensaft in einem kleinen Topf erhitzen. Nach und nach 150 ml kochendes Wasser unterschlagen, um eine glatte, dicke Sauce herzustellen.

❷ Die gehackten Erdnüsse in einer beschichteten Pfanne ohne Fett 2–4 Min. rösten, bis sie goldbraun sind, dann in die Sauce rühren. Mit Salz und Pfeffer abschmecken und warm servieren.

JAPANISCHE SAKE-SAUCE

Diese süße Sauce streicht man nach der Hälfte der Garzeit auf ein im Backofen gebratenes Huhn oder einen gegrillten Fisch. Sie läßt einen salzig-süßen, knusprigen, glänzenden Überzug entstehen.

ERGIBT ETWA 300 ML

150 ml Shoyu-Sauce
(Sojasauce)
6 EL Zucker

150 ml Sake (japanischer
Reiswein)

❶ Shoyu, Zucker und Sake in einen kleinen Topf geben und zum Kochen bringen. Die Hitze reduzieren und den Topfinhalt unter gelegentlichem Rühren 5 Min. sanft köcheln lassen, bis die Sauce leicht sirupartig wird.

❷ Sofort verwenden oder abkühlen lassen und als Marinade für Fisch oder Tofu nehmen.

BROKKOLI SCHARF-SAUER

Für dieses pikante Gemüse-Potpourri wird auch weißer Rettich verwendet – in asiatischen Lebensmittelgeschäften ist Mooli- oder Daikon-Rettich erhältlich.
Nach japanischer Art schält man den Brokkolistengel und schneidet ihn schräg in dicke Scheiben.

FÜR 6 PERSONEN

1 Brokkolikopf, in kleine Röschen zerteilt, den Stengel in Scheiben geschnitten (siehe oben)
2 Möhren, in Stifte geschnitten
1 kleiner weißer Rettich, geschält und gewürfelt

DRESSING
3 kleine rote Chillies, entkernt und feingehackt
1 Knoblauchzehe
2 EL Sojasauce
Saft von 1 Zitrone
1 TL Zucker
Salz

❶ Den Brokkoli mit den Möhrenstiften und Rettichwürfeln in eine Servierschüssel geben.
❷ Für das Dressing Chillies und Knoblauch im Mörser zu einer Paste verreiben. Sojasauce, Zitronensaft, Zucker und Salz nach Geschmack hineinrühren.
❸ Das Dressing zu dem Gemüse geben und gut unterheben. Abdecken und 2 Std. kalt stellen.

SPARGELBOHNEN MIT INGWER

Sind Spargelbohnen nicht erhältlich, können ersatzweise grüne Bohnen verwendet werden.

FÜR 4 PERSONEN

1 Bund Spargelbohnen (etwa 125 g)
1 EL Sesam
6 Scheiben eingelegter Ingwer, in feine Streifen geschnitten

2 EL helle Sojasauce
2 EL frisch gepreßter Zitronensaft
Salz

❶ Die Bohnen putzen und in etwa 2 cm lange Stücke schneiden. In kochendem Salzwasser genau 1 Min. garen. Abtropfen und unter fließendem kaltem Wasser vollkommen abkühlen lassen. Wieder sorgfältig abtropfen lassen und in eine Schüssel geben.
❷ Den Sesam in einer beschichteten Pfanne ohne Fett 1–2 Min. rösten, bis er goldbraun ist. Mit eingelegtem Ingwer, Sojasauce, Zitronensaft und Salz zu den Bohnen geben.
❸ Die Zutaten gut durchheben, abdecken und 1–2 Std. in den Kühlschrank stellen.

Brokkoli scharf-sauer

GURKEN-MÖHREN-ACAR

Acar ist eine asiatische Sauce aus Gemüse, Essig und Gewürzen. Diese frische thailändische Version eignet sich als Beilage zu schwereren Fisch- und Fleischgerichten. Abgedeckt hält sie sich im Kühlschrank bis zu zwei Tage.

FÜR 4-6 PERSONEN

1 Salatgurke	1 EL gehackte Frühlings-
1 Möhre, in sehr kleine	zwiebeln
Würfel geschnitten	2 EL Fischsauce
3 kleine asiatische Chillies,	2 EL Branntweinessig
entkernt und feingehackt	1 EL Zucker

❶ Die Gurke schälen und längs halbieren. Mit einem Teelöffel die Kerne herauslösen und wegwerfen.
❷ Die Gurke in dünne halbmondförmige Scheiben schneiden und mit den restlichen Zutaten in eine Schüssel geben.
❸ Die Zutaten gut durchheben. Sofort servieren oder abdecken und bis zum Verzehr kalt stellen.

PIKANTER BLUMENKOHL

Diese indische Vorspeise paßt zu knusprigen Pappadams und Raita von roten Zwiebeln. Werden tiefgefrorene Erbsen verwendet, fügt man diese erst in Schritt 2 hinzu.

FÜR 4 PERSONEN

1 EL Pflanzenöl	2 reife Tomaten, in kleine
1 Zwiebel, feingehackt	Stücke geschnitten
2 Knoblauchzehen,	50 g Erbsen
feingehackt	Saft von 1 Zitrone
1 TL Kreuzkümmelsamen	1 TL Kurkuma
1 rote Chilischote, entkernt	Salz und Pfeffer
und feingehackt	2 EL gehackter frischer
250 g kleine Blumenkohl-	Koriander
röschen	

❶ Das Öl erhitzen und darin Zwiebel, Knoblauch, Kreuzkümmel, Chilischote, Blumenkohl, Tomaten und Erbsen 5 Min. unter Rühren braten. Falls die Mischung zu trocken wird, noch etwas Öl oder 1 EL Zitronensaft hinzufügen.
❷ Kurkuma und Zitronensaft sowie Salz und Pfeffer nach Geschmack hineinrühren. Den Pfanneninhalt weitere 2 Min. garen, dann den Koriander untermischen. Sofort servieren.

RAITA VON ROTEN ZWIEBELN Eine kleine feingehackte rote Zwiebel mit $1/2$ Bund gehackter Minze und einem Becher Naturjoghurt verrühren. Mit Salz abschmecken.

Gurken-Möhren-Acar

THAILÄNDISCHE TOMATENSAUCE

Diese köstliche Tomatensauce paßt wunderbar zu fritierten Vorspeisen und Knabbereien. Übriggebliebene Sauce hält sich abgedeckt im Kühlschrank 2 bis 3 Tage.

FÜR 6 PERSONEN

500 g Tomaten, abgezogen,
*   entkernt und grobgehackt*
1 EL Sonnenblumenöl
2 TL Sesamöl
1 EL Tamarindenpaste
*   (siehe rechts)*
¹/₂ Bund frische
*   Basilikumblätter*

1 Stengel frisches
*   Zitronengras*
2 EL dunkle Sojasauce
1 TL scharfe Chilisauce
Salz und frisch gemahlener
*   schwarzer Pfeffer*

❶ Alle Zutaten in einen Topf geben und zugedeckt 45 Min. unter gelegentlichem Rühren sanft köcheln lassen, bis sie dick und musig sind.
❷ Die Sauce durch ein feines Kunststoffsieb streichen und in den ausgespülten Topf geben. Mit Salz und Pfeffer abschmecken und erhitzen. Heiß servieren.

TAMARINDENPASTE
Zur Herstellung von Tamarindenpaste einen gehäuften EL Tamarindenmark mit 3 EL kochendem Wasser verschlagen. Die Mischung durch ein feines Kunststoffsieb streichen, so daß eine glatte, sehr dicke Sauce entsteht. Im Kühlschrank hält sie sich bis zu einer Woche. Fertige Tamarindenpaste bekommt man in asiatischen Lebensmittelgeschäften.

ALLZWECK-DIP

Dieser ungemein vielseitige Dip paßt zu zahlreichen
Gerichten, etwa zu gebratenen oder gedämpften Tofu-
würfeln oder gegrillten Fleischstreifen.

FÜR 4 PERSONEN

*4 EL Shoyu oder andere gute
   Sojasauce
2 EL Weißweinessig
1 EL Sesamöl*

*1 TL dunkelbrauner Zucker
1 TL zerstoßene getrocknete
   Chillies*

Alle Zutaten mit 1 EL Wasser vermischen.

VARIATIONEN Dem Dip kann eine der folgenden Zutaten oder
eine Kombination mehrerer hinzugefügt werden:

*gehackter frischer Koriander
   oder Basilikum
gerösteter Sesam
feingewürfelte Tomate
zerdrückter Knoblauch*

*geraspelte Salatgurke
feingehackte frische grüne
   Chillie
feingehackte Frühlingszwiebel*

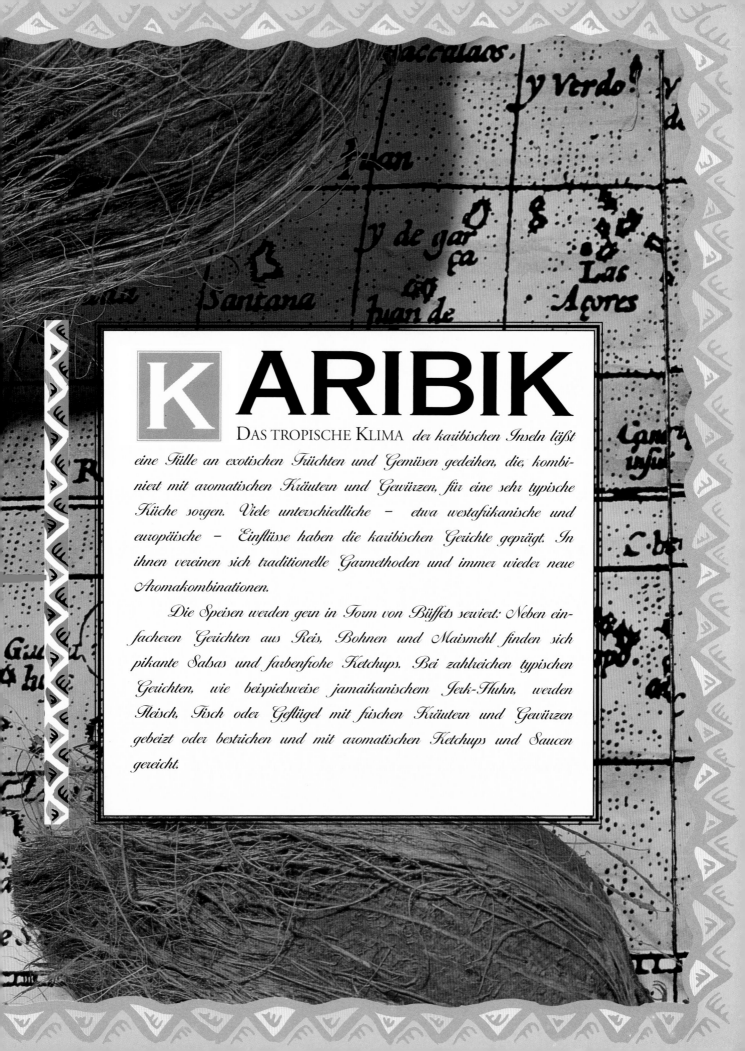

KARIBIK

DAS TROPISCHE KLIMA der karibischen Inseln läßt eine Fülle an exotischen Früchten und Gemüsen gedeihen, die, kombiniert mit aromatischen Kräutern und Gewürzen, für eine sehr typische Küche sorgen. Viele unterschiedliche – etwa westafrikanische und europäische – Einflüsse haben die karibischen Gerichte geprägt. In ihnen vereinen sich traditionelle Garmethoden und immer wieder neue Aromakombinationen.

Die Speisen werden gern in Form von Büffets serviert: Neben einfacheren Gerichten aus Reis, Bohnen und Maismehl finden sich pikante Salsas und farbenfrohe Ketchups. Bei zahlreichen typischen Gerichten, wie beispielsweise jamaikanischem Jerk-Huhn, werden Fleisch, Fisch oder Geflügel mit frischen Kräutern und Gewürzen gebeizt oder bestrichen und mit aromatischen Ketchups und Saucen gereicht.

BESONDERE ZUTATEN

BANANE

Süße, reife Bananen sind ein unverzichtbarer Bestandteil der tropischen Küche. Am besten schmecken sie, wenn sie tiefgelb gereift sind und ein paar schwarze Flecken haben. Ein wenig frischer Zitronen- oder Limettensaft verhindert, daß sich rohe Bananen braun färben.

KOKOSNUSS

Vor dem Kauf sollte man die Frische einer Kokosnuß durch Schütteln der Frucht prüfen: Sie muß mit hörbar genügend Kokoswasser gefüllt sein. Man öffnet die Nuß und läßt das gesamte Wasser abfließen, entfernt die papierähnliche Haut und würfelt, reibt, raspelt oder hackt das Fleisch.

Die landestypischen Produkte der Karibik beinhalten auch ein reiches Angebot an Kürbissen.

Exotische Früchte auf einem Markt in Jamaika.

Zur Herstellung von Kokosmilch läßt man das gehackte Fruchtfleisch in kochendem Wasser ziehen. Nachdem die Mischung vollständig abgekühlt ist, wird die Flüssigkeit durch Nesseltuch geseiht. Sie kann nun für zahlreiche Gerichte wie Suppen, Currys und Getränke verwendet werden.
Zudem ist Kokoscreme erhältlich, die in Gerichte gebröselt wird. Kokoscreme, Kokossahne und getrocknete Kokosnuß lassen sich ebenfalls zur Herstellung von Kokosmilch verwenden. Kokosnuß ist reich an Protein, Vitaminen und Öl und hat einen hohen Nährwert. Kokosöl enthält im Gegensatz zu anderen Samen- und Nußölen gesättigte Fettsäuren mit einem hohen Cholesterinanteil und sollte daher nur sparsam verwendet werden.

ZITRONE

*Ihr saurer Geschmack macht Zitronen als Obst ungeeignet. Man verwendet sie zum Aromatisieren unzähliger pikanter und süßer Gerichte, auch zum Backen und zur Herstellung von Marmela-*den, Chutneys und Ketchups. Zitronensaft beugt dem natürlichen (durch Enzyme bedingten) Braunwerden von bestimmten Früchten wie Birnen und Avocados vor – insbesondere, wenn man die Früchte einige Zeit vor dem Servieren vorbereitet.

MANGO

Die ursprünglich aus Asien stammende Mango ist heute aus der karibischen Küche nicht mehr wegzudenken. Die Reife einer Mango läßt sich nicht allein an der Farbe ihrer Schale erkennen, da manche grünen Sorten bereits reif sind. Um die Reife zu prüfen, drückt man behutsam auf das Fleisch, das etwas nachgeben sollte. Mangos, die hart oder runzelig sind oder eine schwarze, fleckige Schale haben, gehören nicht in den Einkaufskorb. Beim Aufschneiden der Frucht kann man leicht von dem großen, flachen Stein abrutschen! Das Fleisch wird roh für Desserts oder gegart für scharfe Salsas und Ketchups verwendet.

BESCHWIPSTE MELONE

Diesem süß-sauren Gericht verleihen weißer Rum,
Zucker und frischer Zitronensaft den tropischen Geschmack
der Karibik.

FÜR 4 PERSONEN

*1 kleine süße Melone, wie
eine Charentais- oder
Galia-Melone, geschält,
entkernt und gewürfelt*
4 EL weißer Rum
*1 kleine rote Zwiebel,
feingewürfelt*

*1 grüne Chilischote, entkernt
und feingehackt*
2 EL frischer Koriander
*1 TL Demerarazucker (er-
satzweise brauner Zucker)*
Saft von 1/2 Zitrone
Salz und schwarzer Pfeffer

❶ Melone und Rum in eine große Schüssel geben, abdecken
und 1–2 Std. kalt stellen, zwischendurch ein- oder zweimal
behutsam durchheben.
❷ Vor dem Servieren alle anderen Zutaten hineinrühren.
Mit Salz und Pfeffer abschmecken.

TROPISCHER SALAT

Diesen sommerlichen Salat reicht man als Teil einer
Mahlzeit oder als leichte Vorspeise für ein Abendessen.

FÜR 4 PERSONEN

*1 große, reife Papaya,
gewürfelt*
*1 große, reife Avocado,
gewürfelt*
*2 dicke Scheiben frische
Ananas, nach Entfernen
des Strunks gewürfelt*
2 EL Sojasauce
*abgeriebene Schale und Saft
von 1 unbehandelten
Orange*
2 EL Erdnußöl

2 EL dunkelbrauner Zucker
1 Knoblauchzehe, feingehackt
*1 Stück frische Ingwerwurzel
(1 cm groß), gerieben*
*1/2 TL zerstoßene getrocknete
Chilischoten*
*4 EL gehackter frischer
Koriander*
4 EL gehackte frische Minze
*Salz und frisch gemahlener
schwarzer Pfeffer*

❶ Papaya, Avocado und Ananas in eine große Schüssel geben.
❷ Sojasauce, Orangensaft, Öl und Zucker vermischen und
so lange rühren, bis sich der Zucker aufgelöst hat. Knoblauch, Ingwer, Chillies, abgeriebene Orangenschale, Koriander und Minze einrühren. Mit Salz und Pfeffer abschmecken.
❸ Das Dressing über die Früchte geben und gut unterheben. Abdecken und 1–2 Std. kalt stellen.

Beschwipste Melone

JAMAIKANISCHE JERK-SAUCE

Überall in der Karibik reibt man Fleisch mit Jerk-Würzmischungen ein, bevor es unter dem Grill oder über Holzkohle gegart wird. Diese speziellen Gewürzmischungen oder Saucen enthalten immer Zimt, Mußkatnuß und Piment. Wer eine etwas kräftigere Sauce bevorzugt, grillt die Frühlingszwiebeln nicht, sondern fügt sie roh hinzu.

FÜR 6 PERSONEN

6 Frühlingszwiebeln
4 EL frischer Thymian,
   grobgehackt
4 Knoblauchzehen,
   grobgehackt
1 Stück frische Ingwerwurzel
   (1 cm groß), grobgehackt
3 rote Chilischoten, entkernt
   und feingehackt

¹/₂ TL geriebene Muskatnuß
¹/₄ TL gemahlener Zimt
1 TL gemahlenes Piment
4 EL Sojasauce
2 EL Rotweinessig
Salz und frisch gemahlener
   schwarzer Pfeffer

❶ Den Grill vorheizen. Die Frühlingszwiebeln 5 Min. grillen, bis sie weich und leicht geschwärzt sind, zwischendurch einmal wenden. Fein hacken.

❷ Thymian, Knoblauch, Ingwer und Chillies im Mörser zu einer Paste verreiben. Die gehackten Frühlingszwiebeln einarbeiten.

❸ Gemahlene Gewürze, Sojasauce und Malzessig unterrühren. Mit Salz und Pfeffer abschmecken.

ZITRONEN-LIMETTEN-KETCHUP

Dieser Ketchup muß vor seiner Verwendung sechs
Monate stehen. Sein herber Zitrusgeschmack paßt ausgezeichnet zu Salatdressings, Marinaden und Suppen,
so daß sich das Warten lohnt.

ERGIBT 1,25 L

4 Zitronen
4 Limetten
6 EL Salz
1 Zwiebel, feingehackt
2 Knoblauchzehen,
* feingehackt*

900 ml Weißweinessig
1 TL Nelken, grobzerstoßen
1 EL Ingwerpulver
1 TL schwarze Pfefferkörner,
* grobzerstoßen*

❶ Zitronen und Limetten schälen und in dicke Scheiben
schneiden. Das Salz in das Fruchtfleisch reiben und die
Scheiben mit Zwiebel und Knoblauch in heiße sterilisierte
Gläser füllen.
❷ Essig, Nelken, Ingwer und Pfefferkörner in einen Topf
geben und zum Kochen bringen. Über die Zitronen gießen.
Die Gläser mit säurebeständigen Deckeln verschließen und
sechs Monate stehenlassen.
❸ Den Ketchup durch ein Sieb streichen, in sterilisierte
Gläser füllen und verschließen. Er hält sich bis zu zwölf
Monate.

GRANATAPFEL-SAUCE

Diese fruchtige Sauce serviert man mit heißen Pfannkuchen oder cremigem Joghurt als leckeres Dessert oder Wochenendfrühstück. Sie wird gekühlt gereicht.

FÜR 4 PERSONEN

4 Granatäpfel
4 Passionsfrüchte
1 Stück Ingwer in Sirup
  (2,5 cm groß)
2 EL Sirup aus dem
  Ingwerglas
Saft von 1 Limette

1 EL Erdnußöl
1 TL schwarze Pfefferkörner,
  grobzerstoßen
1 TL brauner Zucker
1 EL gehackte frische Minze
¹/₄ TL grobes Salz

❶ Granatäpfel und Passionsfrüchte halbieren. Fleisch und Kerne mit einem Löffel entfernen und in eine Schüssel geben.
❷ Den Ingwer fein hacken und mit Sirup, Limettensaft und Erdnußöl vermischen. Über die Früchte geben und gut unterheben. Die Mischung abdecken und bis zur Verwendung kalt stellen.
❸ Auf Portionsschälchen verteilen und mit Pfeffer, Zucker, Minze und Salz bestreuen.

PFIRSICH-ROSINEN-SALAT

Dieser Pfirsich-Salat erhält noch mehr Pfiff, wenn man im dritten Arbeitsschritt $^1/_2$ TL gemahlenen Zimt unterrührt.

FÜR 4 PERSONEN

8 Pfirsiche, halbiert und
   entsteint
2 EL Pflanzenöl
1 große Zwiebel, feingehackt
1 Stück frische Ingwerwurzel
   (2,5 cm groß), gerieben
200 g brauner Zucker

75 g Rosinen
120 ml frisch gepreßter
   Orangensaft
120 ml Rotweinessig
Salz und frisch gemahlener
   schwarzer Pfeffer

❶ Den Grill auf mittlerer Stufe vorheizen. Die Pfirsiche dünn mit Öl bestreichen und für 15 Min. unter den Grill legen, bis sie weich und goldbraun sind, zwischendurch einmal wenden.

❷ In der Zwischenzeit das restliche Öl in einem kleinen Topf erhitzen. Zwiebel und Ingwer hinzufügen und 5 Min. sanft garen, bis sie weich sind, dabei gelegentlich rühren.

❸ Die Pfirsiche in kleine Stücke schneiden und mit Zucker, Rosinen, Orangensaft und Essig in den Topf geben. Zum Kochen bringen, die Hitze reduzieren und zugedeckt 40 Min. köcheln lassen.

❹ Mit Salz und Pfeffer abschmecken und vollständig abkühlen lassen. Der Salat kann abgedeckt bis zu zehn Tage im Kühlschrank aufbewahrt werden.

ANANASSALAT

Dieser karibische Salat schmeckt ausgezeichnet
zu gegrilltem Huhn und Klippfisch-Frikadellen.
Abgedeckt hält er sich bis zu zwei Tage im Kühlschrank.

FÜR 4–6 PERSONEN

*175 g frische Ananas,
geschält und nach
Entfernen des Strunks in
kleine Würfel geschnitten*
*2 EL gehackter frischer
Koriander*

*abgeriebene Schale und Saft
von 1/2 unbehandelten
Limette*
*1 Stück frische Ingwerwurzel
(1 cm groß), feingerieben*
*1 TL hellbrauner Zucker
Salz und schwarzer Pfeffer*

❶ Ananas, Koriander, Limettensaft und -schale sowie Ingwer in einer großen Schüssel gut vermischen.
❷ Den Zucker hineinrühren, dann mit Salz und Pfeffer
abschmecken.
❸ Den Salat abdecken und mindestens 2 Std. in den Kühlschrank stellen.

HEISSE FRUCHTBEILAGE

Um aus dieser pikanten eine süße Beilage zu machen,
läßt man Knoblauch und Chillies weg und fügt anstelle des
Tabascos ein oder zwei Eßlöffel Honig hinzu.

FÜR 4 PERSONEN

1 TL Pflanzenöl
*1 Knoblauchzehe, in dünne
Scheiben geschnitten*
*1 rote Chilischote, entkernt
und in dünne Scheiben ge-
schnitten*
*2 dicke Scheiben frische
Ananas, gewürfelt*

2 grüne Mangos, gewürfelt
*4 EL frischer Ananassaft
einige Tropfen Tabasco
Salz und Pfeffer*

❶ Das Öl im Wok oder in einer großen Pfanne erhitzen
und Knoblauch, Chili, Ananas und Mango bei starker Hitze
unter Rühren 5 Min. garen, bis sie goldbraun sind.
❷ Ananassaft und Tabasco hinzufügen und 2 Min. erhitzen. Mit Salz und Pfeffer abschmecken und sofort servieren.

BATATEN-KOKOSNUSS-GEMÜSE

Um ein einfaches, aber köstliches tropisches Abendessen
zuzubereiten, bestreicht man vier kleine Fische, etwa Roten
Schnapper, mit etwas Öl und gibt während der letzten
20 Min. Garzeit im Backofen diese Mischung dazu.
Man serviert die Fische mit dem Bataten-Kokosnuß-Gemüse
und einem knackigen grünen Salat.

FÜR 4 PERSONEN

500 g Bataten, gewürfelt
2 EL Pflanzenöl
1 Dose Ananasstücke im
*   eigenen Saft (400 g),*
*   abgetropft*
475 g dicke Kokosmilch

Saft von ¹/₂ Zitrone
1 rote Chilischote, entkernt
*   und feingehackt*
Salz und frisch gemahlener
*   schwarzer Pfeffer*

❶ Den Backofen auf 200 °C vorheizen. Die Batatenwürfel
in einen Bräter geben, mit dem Öl beträufeln und mit etwas
Salz und Pfeffer bestreuen. Für 20 Min. in den Backofen
schieben.

❷ Ananasstücke, Kokosmilch, Zitronensaft, Chilischote
sowie Salz und Pfeffer hineinrühren. Den Bräter wieder in
den Ofen schieben und die Zutaten noch einmal 20 Min.
garen, bis die Bataten weich sind und die Sauce eingedickt ist.

BANANEN-INGWER-KETCHUP

Dieser tropische Ketchup paßt ausgezeichnet zu gegrilltem Huhn und Fisch oder zu kräftigem Käse.

ERGIBT 900 ML

10 reife Bananen, geschält und grobgehackt
2 Zwiebeln, feingehackt
1 Stück frische Ingwerwurzel (5 cm), gerieben

600 ml Apfelessig
400 g brauner Zucker
2 TL schwarze Pfefferkörner
1 TL Pimentkörner
1 TL Salz

❶ Bananen, Zwiebeln, Ingwer, Essig, Zucker, Gewürze und Salz in einen großen Topf geben. Zum Kochen bringen und rühren, bis sich der Zucker aufgelöst hat. Den Deckel auflegen und die Zutaten unter gelegentlichem Rühren 1 Std. sanft köcheln iassen, bis sie dick und musig sind.

❷ Die Mischung durch ein feines Kunststoffsieb streichen, dann sofort in heiße, sterilisierte Flaschen füllen und verschließen. Der Ketchup kann bis zu sechs Monate aufbewahrt werden.

Scharfe Mango-Salsa

Diese feurige Salsa ist, mit einer Schale Tortilla-Chips serviert, ein unwiderstehlicher Party-Dip.

FÜR 4 PERSONEN

1 EL Pflanzenöl
1 große Zwiebel, feingehackt
2 grüne Chillies, entkernt
und feingehackt
2 reife Mangos, geschält und
gewürfelt

2 reife Tomaten, gewürfelt
Saft von 2 Limetten
1 EL brauner Zucker
Salz und frisch gemahlener
schwarzer Pfeffer

❶ Das Öl in einem kleinen Topf erhitzen und die Zwiebel und Chillies darin 5 Min. sanft braten, bis sie weich sind.

❷ Mangos und Tomaten dazugeben und zugedeckt 30 Min. sehr behutsam garen.

❸ Limettensaft und Zucker hineinrühren. Mit Salz und Pfeffer abschmecken, gegebenenfalls noch etwas Zucker hinzufügen. Heiß oder kalt servieren.

SÜDAMERIKA

IN DIESEM KAPITEL WIRD *neben Südamerika auch Mexiko berücksichtigt – die Heimat der Salsa. Aus diesem Grund finden sich hier fast nur Salsa-Rezepte, bei denen es sich vielfach um bekannte Klassiker handelt. Man serviert diese Salsas zu gebratenem Huhn oder Garnelen-Fajitas oder als leckere Dips mit feurigen Tortilla-Chips, knusprigen Tacos und Käse-Nachos.*

Die zwei wichtigsten Zutaten dieser kulinarischen Region sind Mais, der unter anderem zur Herstellung der allgegenwärtigen Tortillas verwendet wird, und Chillies, die in fast keiner Salsa fehlen.

BESONDERE ZUTATEN

*Riesige Frühlings-
zwiebeln und frische
Limetten auf einem
Markt in Mexiko.*

JALAPEÑO-CHILLIES

Jalapeño-*Chillies werden sowohl für gegarte als
auch für ungekochte Salsas verwendet. Sie sind
relativ groß und dick und haben dunkelgrünes,
dickes Fleisch von mittlerer Schärfe. Beim
Trocknen nehmen* Jalapeños *eine rostig-braune
Farbe an und heißen dann* Chipotle-*Chillies.*

PEQUIN-CHILLIES

*Diese winzigen, dunkelroten und ungemein
scharfen Chilischoten sind gewöhnlich nur
– ganz oder zerstoßen – getrocknet erhältlich und
sollten sparsam verwendet werden, um Saucen
oder Öl zu aromatisieren. Man sollte nie eine
ganze* Pequin-*Chili essen.*

POBLANO-CHILLIES

Diese großen Chillies ähneln Pasilla-Chillies, *sind mild bis mittelscharf und haben ein intensives typisches Aroma. Besonders gern* *werden sie getrocknet verwendet. Getrocknete dunkelrote* poblanos *werden* ancho *und dunkelbraune* mulato *genannt.*

In Mexiko, der Heimat der Salsa, herrscht kein Mangel an frischen, aromareichen Zutaten.

SONNEN-SALAT

Dieser wunderschöne Salat bringt tatsächlich Sonne auf den Tisch. Man serviert ihn als frische Beilage zu Fisch.

FÜR 4 PERSONEN

2 gelbe Tomaten, in dünne Scheiben geschnitten

2 reife rote Tomaten, in dünne Scheiben geschnitten

2 kleine Orangen, geschält und in dünne Scheiben geschnitten

1 TL eingelegte rosa Pfeffer-körner (Schinus molle), grobzerstoßen

1 Knoblauchzehe, feingehackt

2 EL gehackte frische Petersilie, Koriander oder Schnittlauch

2 EL kaltgepreßtes Olivenöl
Salz und frisch gemahlener schwarzer Pfeffer

❶ Tomaten- und Orangenscheiben auf einer großen Servierplatte anrichten.

❷ Pfefferkörner, Knoblauch, Kräuter, Olivenöl sowie reich-lich Salz und schwarzen Pfeffer vermischen und über die Salsa träufeln. Sofort servieren.

CHIMICHURRI

Diese klassische südamerikanische Salsa ist in Argentinien und Brasilien sehr beliebt. Ihre Grundzutaten sind Zwiebeln, Petersilie und Chillies. Traditionell wird sie zu gegrilltem Fleisch gereicht.

FÜR 6 PERSONEN

*2 rote Zwiebeln oder 4 rote
  Schalotten, feingehackt*
*2 scharfe rote Chilischoten,
  entkernt und feingehackt*
*1 große Knoblauchzehe,
  feingehackt*

*4 EL gehackte frische
  Petersilie*
2 EL Olivenöl
Saft von 1 Zitrone
*Salz und frisch gemahlener
  schwarzer Pfeffer*

Alle Zutaten in eine große Schüssel geben und gut durchheben. Mit Salz und Pfeffer abschmecken, abdecken und 1–2 Std. kalt stellen.

SALSA VERDE

Wie auch von der *salsa cruda* gibt es zahlreiche Versionen der „grünen Salsa". Die Zutaten werden traditionell von Hand gehackt, können aber auch in einer kleinen Küchenmaschine oder im Mixer verarbeitet werden.

FÜR 6 PERSONEN

6 Frühlingszwiebeln, feingehackt
1 Zwiebel, feingehackt
2 Knoblauchzehen, feingehackt
2 grüne Chillies, entkernt und feingehackt
6 EL gehackter frischer Koriander

6 EL gehackte frische glatte Petersilie
1 EL Kapern, gut abgetropft und feingehackt (nach Belieben)
4 EL Olivenöl
Saft und abgeriebene Schale von 1 unbehandelten Zitrone
Salz und schwarzer Pfeffer

Alle Zutaten in eine große Servierschüssel geben und gut durchheben. Mit Salz und Pfeffer abschmecken und sofort servieren.

SCHARFE GUACAMOLE

Wie alle südamerikanischen Salsas paßt auch dieser Dip ausgezeichnet zu Nachos und Tortilla-Chips.

FÜR 4 PERSONEN

2 Knoblauchzehen, grobgehackt
2 rote Chilischoten, entkernt und grobgehackt
6 schwarze Pfefferkörner

2 große Avocados
2 EL Olivenöl
Saft von 1 Zitrone
Salz

❶ Knoblauch, Chillies und Pfefferkörner im Mörser zu einer Paste zerstoßen.
❷ Die Avocados schälen und den Stein entfernen, das Fleisch sorgfältig zerdrücken. Chilipaste, Olivenöl und Zitronensaft unterrühren. Mit Salz und Pfeffer abschmecken und bis zum Servieren in den Kühlschrank stellen.

PICO DE GALLO

Es gibt viele Varianten dieser mexikanischen Salsa, deren
Name übersetzt Hahnenschnabel bedeutet. Diese Version
schmeckt am besten auf käseüberzogenen Tacos und
Burritos oder zu gebratenem Huhn oder Rindfleisch.

FÜR 6 PERSONEN

*4 Tomaten, in Stücke
geschnitten*
1 rote Zwiebel, feingehackt
10 Radieschen, grobgehackt
*2 grüne Chilischoten,
entkernt und feingehackt*

*2 EL gehackter frischer
Koriander*
Saft von 1 Limette
1/4 TL Salz

Alle Zutaten in eine große Schüssel geben und sorgfältig vermischen. Sofort servieren.

SALSA CON QUESO

Dieses Gericht findet sich stets auf den Speisekarten mexikanischer Restaurants. Mit Tortillas oder Tacos wird daraus eine kleine Mahlzeit für zwei Personen.

FÜR 2 PERSONEN

1 EL Pflanzenöl
1 kleine Zwiebel, feingehackt
2 Knoblauchzehen, feingehackt
4 Scheiben durchwachsener Speck, in Stücke geschnitten

1 Dose Tomaten (400 g), gehackt
2 TL zerstoßene getrocknete Chillies
¹/₂ TL Salz
100 g kräftiger Käse wie mittelalter Gouda, gerieben

❶ Das Öl in einem Topf erhitzen und Zwiebel, Knoblauch und Speck etwa 5 Min. sanft braten, bis sie weich und goldbraun sind, ab und zu umrühren. Tomaten, Chillies und Salz hinzufügen und zum Kochen bringen, dann zugedeckt 15 Min. sanft köcheln lassen.
❷ In der Zwischenzeit den Grill vorheizen.
❸ Die Mischung in eine flache feuerfeste Form geben und den Käse darüberstreuen. Etwa 5 Min. unter dem Grill überbacken, bis der Käse Blasen wirft und goldbraun ist. Sofort servieren.

SALSA CRUDA

Es gibt zahllose rohe südamerikanische Salsas,
die alle den Namen *salsa cruda* tragen. Dies ist eine sehr
einfache Version, die als Snack zu Tortilla-Chips paßt oder
als Teil einer Mahlzeit köstlich schmeckt.

FÜR 4 PERSONEN

*2 große Tomaten, in Stücke
  geschnitten*
*8 Frühlingszwiebeln,
  grobgehackt*
*2 scharfe grüne Chilischoten,
  entkernt und feingehackt*

*2 EL gehackte frische
  Petersilie oder Koriander*
Saft von 1/2 Zitrone
1 EL Olivenöl
*Salz und frisch gemahlener
  schwarzer Pfeffer*

Alle Zutaten in eine große Schüssel geben, gut durchheben
und mit Salz und Pfeffer abschmecken. Mindestens 2 Std. abgedeckt kalt stellen.

HABANERO-SALSA

Habanero-Chillies zählen zu den schärfsten Chilischoten. Im Gegensatz zu anderen feurigen Sorten sind sie nicht nur scharf, sondern auch aromatisch. Ein wenig dieser Salsa kann unter Nudeln oder Reis gemischt werden.

FÜR 4 PERSONEN

6 reife Eiertomaten, halbiert
5 EL kaltgepreßtes Olivenöl
4 Knoblauchzehen, zerdrückt
Salz und frisch gemahlener
   schwarzer Pfeffer

10 Habanero-Chillies
1 rote Zwiebel, feingehackt
Saft von 1 Zitrone
2 EL gehackter frischer
   Koriander

❶ Den Backofen auf 240 °C vorheizen. Die Tomaten mit der Schnittseite nach oben auf ein Backblech legen. Mit 1 EL Olivenöl beträufeln und etwas Knoblauch, Salz und schwarzen Pfeffer darüberstreuen, dann für 15 Min. in den Backofen schieben, bis sie dunkelbraun werden.

❷ In der Zwischenzeit die Chillies nacheinander auf eine Gabel spießen und etwa 3 Min. über eine offene Gasflamme halten, bis sie rundum Blasen werfen. Die Haut abziehen und das Fleisch fein hacken. Oder die Chillies für 5–6 Min. unter den heißen Grill legen, zwischendurch einmal wenden.

❸ Die Tomaten würfeln und mit den gehackten Chillies, dem restlichen Olivenöl und Knoblauch, der roten Zwiebel, dem Zitronensaft, Koriander sowie etwas Salz und Pfeffer in eine Schüssel geben. Abgedeckt bis zum Verzehr im Kühlschrank aufbewahren – höchstens fünf Tage.

SALSA CALIENTE

Diese Sauce ist Grundlage für viele Gerichte wie Eier nach Art Oaxacas, eine Spezialität des gleichnamigen mexikanischen Bundesstaates, für die Eier in *salsa caliente* pochiert und vor dem Servieren mit geriebenem Käse bestreut werden. Wird die Sauce zu dick, kann ein wenig heiße Hühner- oder Gemüsebrühe hineingerührt werden. Sie paßt gut zu Fleisch und Fisch und kann als Dip serviert werden.

FÜR 4 PERSONEN

*4 große reife Tomaten,
  halbiert und entkernt*
2 EL Pflanzenöl
*2 Jalapeño-Chillies, entkernt
  und feingehackt*
*2 Knoblauchzehen,
  feingehackt*

1 kleine Zwiebel, feingehackt
*Hühner- oder Gemüsebrühe
  nach Belieben*
*Salz und frisch gemahlener
  schwarzer Pfeffer*

❶ Den Grill vorheizen. Auf die Tomatenhälften etwas Öl geben und etwa 8 Min. grillen, bis sie weich und leicht geschwärzt sind, zwischendurch einmal wenden. Abziehen und die Haut wegwerfen, das Fleisch grob hacken.

❷ In der Zwischenzeit Chillies, Knoblauch und Zwiebel im Mörser zu einer recht glatten Paste zerreiben.

❸ Das restliche Öl in einer kleinen Pfanne erhitzen und die Paste mit den Tomaten etwa 5 Min. sanft garen, bis die Mischung dick und musig ist, gegebenenfalls Brühe hinzufügen. Mit Salz und Pfeffer abschmecken. Heiß servieren oder abgedeckt in den Kühlschrank stellen, wo sich die Salsa bis zu fünf Tage hält. Sie läßt sich auch gut einfrieren.

TOMATILLO-SALSA

Von frischen Tomatillos entfernt man die pergamentähnliche Hülle, halbiert sie und läßt sie sanft in Wasser köcheln, bis sie weich sind. Abgedeckt im Kühlschrank hält sich die Salsa bis zu fünf Tage.

FÜR 6 PERSONEN

2 frische Papayas, geschält und gewürfelt
1 kleine Zwiebel, feingehackt
1 rote Paprikaschote, entkernt und gewürfelt
1 grüne Paprikaschote, entkernt und gewürfelt
250 g Tomatillos, vorbereitet (siehe oben) und feingehackt
1 kleine scharfe rote

Chilischote, entkernt und feingehackt
2 EL gehackter frischer Koriander
2 Knoblauchzehen, feingehackt
frisch gepreßter Saft von 1 Orange
2 EL Olivenöl
Salz und frisch gemahlener schwarzer Pfeffer

❶ Papaya, Zwiebel und Paprikaschoten in eine Schüssel geben.
❷ Tomatillos, Chillies, Koriander, Knoblauch, Orangensaft und Olivenöl vermischen und gut salzen und pfeffern. Zur Papaya-Mischung geben und gut unterheben. Abdecken und bis zum Servieren kalt stellen.

SÜSSE ZWIEBEL-SALSA

Durch das Sautieren verwandelt sich die Stärke der Zwiebeln in Zucker, und sie erhalten einen süßlichen Geschmack. Diese Salsa schmeckt besonders gut zu kräftigem Käse und weichem Brot.

FÜR 4 PERSONEN

2 EL Pflanzenöl
4 Zwiebeln, in dünne Scheiben geschnitten
2 Knoblauchzehen, feingehackt

2 EL gehackte frische Petersilie
1 EL Zitronensaft
Salz und frisch gemahlener schwarzer Pfeffer

❶ Das Öl in einer großen Pfanne erhitzen und die Zwiebeln 20 Min. sautieren, bis sie weich und goldbraun sind. Den Knoblauch dazugeben und 2–3 Min. garen.
❷ Die Mischung mit Petersilie und Zitronensaft in einer Schüssel verrühren. Mit Salz und Pfeffer abschmecken. Warm servieren.

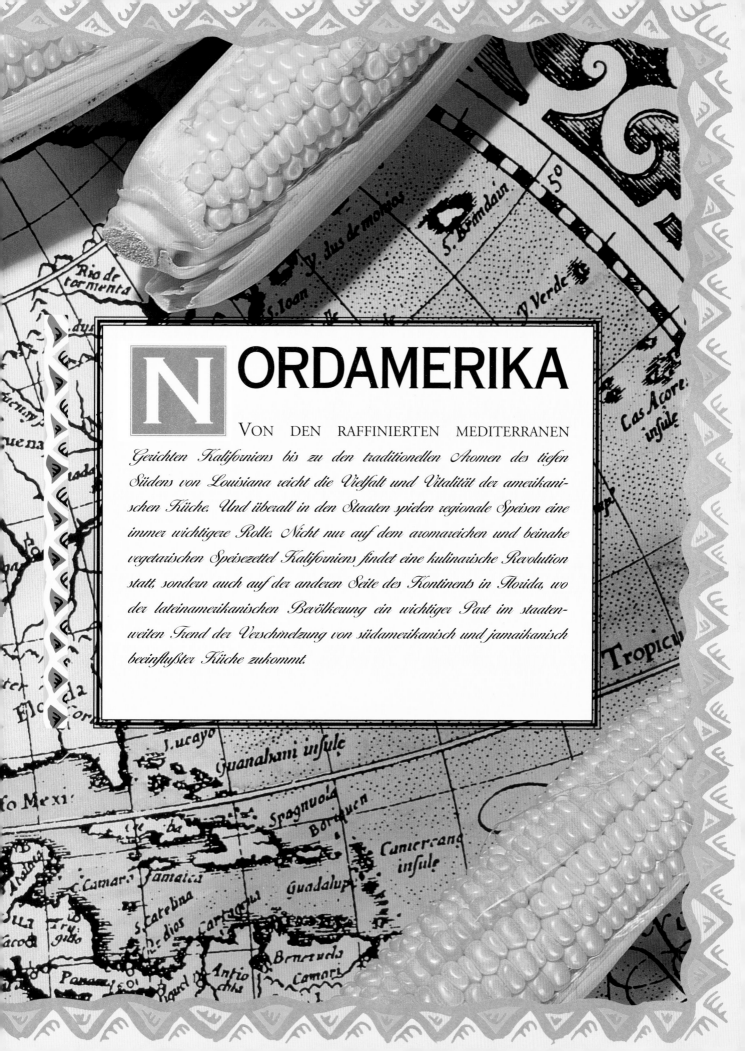

NORDAMERIKA

VON DEN RAFFINIERTEN MEDITERRANEN
Gerichten Kaliforniens bis zu den traditionellen Aromen des tiefen
Südens von Louisiana reicht die Vielfalt und Vitalität der amerikani-
schen Küche. Und überall in den Staaten spielen regionale Speisen eine
immer wichtigere Rolle. Nicht nur auf dem aromareichen und beinahe
vegetarischen Speisezettel Kaliforniens findet eine kulinarische Revolution
statt, sondern auch auf der anderen Seite des Kontinents in Florida, wo
der lateinamerikanischen Bevölkerung ein wichtiger Part im staaten-
weiten Trend der Verschmelzung von südamerikanisch und jamaikanisch
beeinflußter Küche zukommt.

BESONDERE ZUTATEN

Reife Tomaten bilden die Grundlage klassischer Ketchups und Salsas.

MAIS

Der ursprünglich aus Mexiko stammende Mais ist in Nordamerika ein wichtiges Nahrungsmittel. Soll der Mais mit dem Kolben serviert werden, kocht man ihn 5 Minuten in ungesalzenem Wasser, bis die Körner leuchtendgelb und weich sind. Gewürzt wird – mit Salz, Pfeffer und zerlassener Butter – nach dem Kochen, da die Maiskörner sonst hart würden. Mit etwas frischem Limettensaft beträufelt und auf Holzkohle gegrillt schmecken Maiskolben köstlich. Möchte man nur die Körner servieren, fährt man mit einem großen, scharfen Messer am Kolben entlang. Maiskörner sind auch in Dosen oder tiefgefroren erhältlich.

CRANBERRIES (KULTURPREISELBEEREN)

Die nordamerikanischen Cranberries – bei uns auch als Kulturpreiselbeeren bekannt – sind sehr sauer und daher roh ungenießbar. Sie eignen sich ausgezeichnet für Ketchups, Marmeladen oder Saucen und können auch anstelle von Rosinen oder getrockneten Beeren für Obstkuchen verwendet werden. Sie werden im Winter geerntet und zwischen Ende Oktober und Anfang März in den Geschäften angeboten. Frische Cranberries sind außerordentlich robust und lassen sich gut lagern. Sie sind auch gefroren und neuerdings selbst getrocknet erhältlich – ein guter Ersatz für frische Beeren.

ROTE ZWIEBELN

Rote Zwiebeln gehören zur großen Familie der Zwiebeln. Ihr milder, süßlicher Geschmack macht sie für ungegarte Salsas besonders geeignet. Da selbst Hitze ihre attraktive rote Farbe nicht zerstören kann, eignen sie sich ebenso für gekochte Ketchups und Salsas.

TOMATILLOS

Die grünen Tomatillos haben eine pergament-ähnliche Hülle, die vor Verwendung entfernt werden muß. Ihr säuerliches Aroma wird in den USA und in Südamerika gern für Salsas genutzt – sie bilden die Grundlage für die klassische salsa verde. *In Amerika sind Tomatillos frisch oder in Dosen erhältlich, bei uns nur in ausgesuchten Geschäften.*

Gekochter oder gegrillter Mais wird für zahlreiche nord-amerikanische Speisen verwendet.

GERÖSTETE PAPRIKASCHOTEN

Dieses kalifornische Gericht verrät den mediterranen Einfluß. Nach dem Grillen sollten die Paprika 5 Minuten abgedeckt werden, da der entstehende Dampf hilft, die Haut vom Fleisch zu lösen.

FÜR 4 PERSONEN

2 rote Paprikaschoten
2 gelbe Paprikaschoten
2 orange Paprikaschoten
2 Knoblauchzehen,
* feingehackt*
2 reife Tomaten, gewürfelt

2 EL gehackte frische glatte
* Petersilie*
4 EL kaltgepreßtes Olivenöl
3 EL Balsamessig
Salz und frisch gemahlener
* schwarzer Pfeffer*

❶ Den Grill auf mittlerer Stufe vorheizen. Alle Paprikaschoten für etwa 10 Min. unter den Grill legen, bis die Haut Blasen wirft und schwarz wird, dabei häufig wenden. Unter einem Küchentuch 5 Min. abkühlen lassen.

❷ Mit der Spitze eines scharfen Messers unten in jede Schote ein Loch stechen und den gesamten Saft in eine Schüssel rinnen lassen. Die Haut abziehen und wegwerfen, das Fleisch in $1/2$ cm breite Streifen schneiden.

❸ Die warmen Paprikaschoten mit Knoblauch, Tomaten und Petersilie in eine Schüssel geben. Paprikasaft, Olivenöl und Balsamessig verschlagen, mit Salz und Pfeffer abschmecken. Das Dressing über die Paprika geben und gut unterheben. Noch warm servieren oder abgedeckt in den Kühlschrank stellen. Dort hält sich der Salat bis zu vier Tage.

KLASSISCHER AMERIKANISCHER TOMATEN-KETCHUP

Dieser amerikanische Dauerbrenner paßt zu fast allen Speisen – ein Löffel dieses dicken Ketchups schmeckt auf einem Käsetoast oder zu Pommes frites.

ERGIBT ETWA 1,25 L

1,5 kg reife Tomaten, geviertelt
2 Knoblauchzehen, halbiert
120 ml Apfelessig
50 g Zucker

¹/₂ TL Ingwerpulver
¹/₂ TL Salz
4 schwarze Pfefferkörner
4 Nelken

❶ Tomaten und Knoblauch in einen großen Topf geben und mit ein wenig Essig bedeckt sanft 1 Std. unter gelegentlichem Rühren dünsten, bis ein dickes Mus entstanden ist.

❷ Die Mischung im Mixer oder in der Küchenmaschine glattpürieren, dann wieder in den ausgespülten Topf geben. Übrigen Essig, Zucker und Gewürze hinzufügen. Die Zutaten zum Kochen bringen und rühren, bis sich der Zucker aufgelöst hat. Mit aufgelegtem Deckel 45 Min. köcheln lassen, bis die Mischung dick und glatt ist, zwischendurch umrühren.

❸ Die Mischung durch ein feines Kunststoffsieb streichen. Sofort in heiße, sterilisierte Flaschen füllen und verschließen.

KIRSCH-KETCHUP

Dieser Ketchup schmeckt zu Rindfleisch-Burgern oder als Dip für Pommes frites oder knusprige Zwiebelringe.

ERGIBT ETWA 900 ML

1 Zwiebel, grobgehackt
2 große Kochäpfel, geschält und nach Entfernen des Kerngehäuses grobgehackt
900 g Schattenmorellen, entsteint
475 ml Rotweinessig
400 g brauner Zucker
1 Stück Ingwerwurzel (1 cm groß)
$1/2$ TL gemahlener Zimt
$1/2$ TL Salz

❶ Alle Zutaten in einen großen Topf geben und zum Kochen bringen. Rühren, bis sich der Zucker aufgelöst hat. Zugedeckt 1 Std. köcheln lassen, zwischendurch gelegentlich umrühren.

❷ Die Mischung durch ein feines Kunststoffsieb streichen. Sofort in heiße, sterilisierte Flaschen füllen und verschließen.

MAIS-GEMÜSE

Für ein leichtes Mittagessen kann man eine Ofenkartoffel
mit einem Löffel Sauerrahm füllen und dann dieses
köstliche Gemüse daraufgeben. Es sollten nur absolut frische
Maiskolben verwendet werden.

FÜR 8 PERSONEN

4 Maiskolben
Saft von 2 Limetten
4 Tomaten, entkernt und in
  kleine Würfel geschnitten
2 rote Zwiebeln, feingehackt

4 EL gehackter frischer
  Koriander
3 EL Olivenöl
Salz und frisch gemahlener
  schwarzer Pfeffer

❶ Die Maiskolben mit etwas Limettensaft bestreichen und
mit Salz bestreuen. 20–30 Min. im Elektrogrill oder auf
Holzkohle garen, bis sie weich und goldbraun sind, dabei
gelegentlich wenden. Mit einem großen, schweren Messer die
Körner vom Kolben lösen.

❷ Die Maiskörner mit den Tomaten, roten Zwiebeln und
dem Koriander in eine Schüssel geben. Olivenöl und restlichen Limettensaft verschlagen, mit Salz und Pfeffer abschmecken und über die Salsa gießen. Gut durchheben und
handwarm servieren oder abgedeckt 2 Std. kalt stellen.

SCHNELLE TOMATENSALSA

Diese Tomatensalsa ist sekundenschnell zubereitet und ein ausgezeichneter Dip für Maischips.

FÜR 6 PERSONEN

1 Dose Tomaten (400 g)
1 Knoblauchzehe
3 Frühlingszwiebeln

einige Tropfen Tabasco-Sauce
Salz und frisch gemahlener
schwarzer Pfeffer

Alle Zutaten in die Küchenmaschine oder den Mixer geben und glattpürieren. Mit Salz und Pfeffer abschmecken. In einem luftdicht verschlossenen Gefäß im Kühlschrank aufbewahrt hält sich die Salsa bis zu fünf Tage.

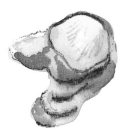

BARBECUE-SALSA

Diese köstliche Sauce reicht man als Beilage zu Fleisch oder verwendet sie zum Marinieren von Spareribs.

ERGIBT ETWA 900 ML

300 ml Tomaten-Ketchup
1 Zwiebel, feingehackt
2 Tomaten, abgezogen,
  entkernt und feingehackt
2 Knoblauchzehen,
  feingehackt
1 Stück Ingwerwurzel
  (1 cm groß), feingehackt

150 ml frisch gepreßter
  Orangensaft
2 EL Pflanzenöl
3 EL Sojasauce
3 EL Honig
1 TL scharfer Senf

Alle Zutaten mit 450 ml Wasser in einen großen Topf geben und zum Kochen bringen. Mit aufgelegtem Deckel 20 Min. sanft köcheln lassen, zwischendurch gelegentlich umrühren. Abkühlen lassen und abgedeckt in den Kühlschrank stellen. Dort hält sich die Salsa bis zu zwei Wochen, zudem läßt sie sich gut einfrieren.

TEXANISCHE SALSA VON GRÜNEN TOMATEN

Diese recht feurige Salsa sollte gekühlt serviert werden. Um ihre Schärfe zu variieren, können zusätzliche oder weniger Chillies beziehungsweise eine andere Sorte verwendet werden.

FÜR 8 PERSONEN

4 grüne Chillies, entkernt und feingehackt
4 grüne Tomaten, grobgehackt
2 Zwiebeln, grobgehackt
2 Knoblauchzehen, feingehackt
1 EL gehackter frischer Oregano oder 1/2 EL getrockneter Oregano
Salz und frisch gemahlener schwarzer Pfeffer

❶ Chillies, Tomaten, Zwiebeln, Knoblauch und etwa 300 ml Wasser in einen Topf geben und zum Kochen bringen. Zugedeckt 30 Min. köcheln lassen, bis eine dicke, musige Sauce entstanden ist, zwischendurch gelegentlich umrühren.

❷ Die Sauce durch ein feines Kunststoffsieb streichen, dann Oregano sowie Salz und Pfeffer untermischen. Abdecken und kalt stellen. Die Salsa hält sich bis zu fünf Tage.

121

WASSERMELONEN-SALSA

Diese Salsa bringt die Aromen von gegrillten
Meeresfrüchten wie Hummer oder Jakobsmuscheln
gut zur Geltung.

FÜR 6 PERSONEN

1 kleine Gurke
250 g Wassermelonen-
Fruchtfleisch, gewürfelt
1 kleine rote Zwiebel, in
dünne Scheiben geschnitten
1 EL gehackter frischer
Schnittlauch

1 EL gehackte frische Minze
1 kleine rote Chilischote,
entkernt und feingehackt
1 kleine Knoblauchzehe,
feingehackt
Saft von 1 Limette
Salz und schwarzer Pfeffer

❶ Die Gurke längs halbieren, dann die Hälften quer in
Scheiben schneiden. Mit Wassermelone, roter Zwiebel,
Schnittlauch, Minze, Chilischote, Knoblauch und Limettensaft in eine Schüssel geben.
❷ Mit Salz und Pfeffer abschmecken und sofort servieren
oder abgedeckt kalt stellen. Die Salsa hält sich einen Tag.

GEMÜSE VOM GRILL
MIT KRÄUTER-ÖL-DRESSING

Dieses herrliche Gericht kann man im Freien mit Ofen-
kartoffeln und einem Löffel Sauerrahm reichen.

FÜR 6 PERSONEN

4 Maiskolben
8 Tomaten, geviertelt
2 rote Zwiebeln, geviertelt

KRÄUTER-ÖL-DRESSING

4 EL Olivenöl
2 EL Balsamessig
2 EL gehackter frischer
Estragon
Salz und Pfeffer

❶ Zunächst alle Zutaten für das Dressing vermischen.
❷ Die Maiskolben mit dem Dressing bestreichen und
20–30 Min. grillen. Dann die Körner ablösen.
❸ Tomaten und Zwiebeln auf Spieße stecken und mit dem
Öl bestreichen. 15–20 Min. grillen, bis sie weich sind.
❹ Mais, Zwiebeln und Tomaten in eine große Schüssel
geben und das restliche Dressing darübergießen.

Wassermelonen-Salsa

CRANBERRY-KETCHUP

Dieser süß-saure Ketchup schmeckt ausgezeichnet zu gebratenem Huhn.

ERGIBT ETWA 900 ML

900 g frische Cranberries
  (Kulturpreiselbeeren)
400 g Sultaninen
500 ml Rotweinessig

450 g brauner Zucker
2 TL gemahlener Piment
1 TL Salz
1 TL gemahlener Zimt

❶ Alle Zutaten in einen großen Topf geben und zum Kochen bringen. Rühren, bis sich der Zucker aufgelöst hat. Zugedeckt 1 Std. köcheln lassen, dabei gelegentlich umrühren.

❷ Die Mischung durch ein feines Kunststoffsieb streichen. Sofort in heiße sterilisierte Flaschen füllen und verschließen.

PESTO-SALSA

Für dieses Rezept werden die gleichen Grundzutaten
verwendet wie für das italienische *pesto*.
Die kalifornische Salsa paßt sehr gut zu Fisch und Geflügel.
Man füllt mit ihr vier kleine Fische oder schneidet vier
Hähnchenbrustfilets tief ein, bestreicht sie dick mit der
Sauce und grillt sie dann.

FÜR 4 PERSONEN

*4 EL Pinienkerne
2 große Knoblauchzehen,
 feingehackt
1 kleine rote Chilischote,
 entkernt und feingehackt
1 Bund frisches Basilikum,
 feingehackt*

*2 EL frisch geriebener Parme-
 sankäse oder Pecorino
4 EL kaltgepreßtes Olivenöl
Saft und abgeriebene Schale
 von 1 unbehandelten
 Zitrone
Salz und schwarzer Pfeffer*

❶ Die Pinienkerne in eine beschichtete Pfanne geben und
ohne Fett 3–5 Min. rösten, bis sie goldbraun sind. Mit einem
schweren Messer fein hacken.

❷ Die Pinienkerne mit Knoblauch, Chillies, Basilikum,
Käse, Olivenöl, Zitronensaft und -schale in eine Schüssel
geben. Gut salzen und pfeffern. Sofort servieren oder abgedeckt kalt stellen, höchstens 2 Std. aufbewahren.

REGISTER

DANKSAGUNG

Pictor 6, 8–9, Stuart Frawley/Ace 11, Pictor 17, PictureBank 18–19, 21,
Mauritius/Ace 23, PictureBank 40–41, Fotopic/Ace 42, Trevor Wood/Image
Bank 57, PictureBank 68–69, 70, Zephyr Pictures/Ace 86–87, Allan Stone/Ace 88,
Mauritius/Ace 89, Grant V. Faint/Image Bank 98–99, Pictor 100, 108–109, 111,
Alan Spence/Ace 118–119, Pictor 120, 122.
Alle anderen Abbildungen © Quarto Publishing Plc.
Quarto dankt Lee Pattison und Villeroy & Boch Tableware Ltd,
267 Merton Road, London SW18 5JS; Oddbins UK Ltd, 31 Weir Road
Industrial Estate, London SW19 8UG; und dem Restaurant Agadir,
84 Westbourne Grove, London W2.